Mon Histoire

Portrait en couverture : Pierre-Marie Valat

Titre original : *A picture of freedom,*
The diary of Clotee, Slave girl
Édition originale publiée par Scholastic Inc.

Patricia C. McKissack

Je suis une esclave

JOURNAL DE CLOTEE,
1859-1860

Traduit de l'anglais
par Bee Formentelli

GALLIMARD JEUNESSE

À la mémoire de Lizzie Passmore,
mon arrière-arrière-arrière grand-mère
qui osa apprendre et enseigner

Plantation Belmont, Virginie, 1859

Mars 1859

Les fleurs du printemps, elles commencent à pousser, et le ciel, c'est bleu, très bleu. Mars, il connaît jamais ce qu'il veut : être un mois de printemps ou un mois d'hiver. Cette année, la chaleur, elle est arrivée de bonne heure en Virginie. Mais c'est une chance pour moi. Tout au long la saison chaude je dois éventer 'tit Maît' William et M'ame Lilly, ma maîtresse, pendant les leçons. Ce matin, c'était le premier jour de ma troisième année d'école. Depuis déjà trois saisons passées, j'évente mon 'tit maître — lever, baisser, lever le gros z'éventail, en haut, en bas, en haut. L'éventail avec juste des herbes de la Caroline tressées, il remue l'air lourd, très lourd — en haut, en bas, en haut — et chasse les maringouins, les moucherons et les taons si embêtants. Ça a peut-êt' l'air d'un travail très sot, mais ça me gêne pas du tout, pasqué pendant que William apprend, moi, j'apprends aussi.

En restant là à éventer — en haut, en bas, en haut, en bas — j'ai arrivé à connaître mon alphabet et les sons que les lettres, elles font. C'est comme ça j'ai appris toute seule lire les mots. Maint'nant, je peux les piocher dans les choses je trouve à lire comme les journaux ou les lettres jetées à la corbeille ou les livres je chipe sur l'étagère de Maît' Henley. Quiquefois, connaître tout ce que je connais, ça me fait très peur.

Les esclaves, ils ont pas le droit de connaître lire et écrire, et moi, je connais. M'ame Lilly va avoir sa crise — sûr ! — si elle voit que je m'ai fabriqué un journal comme celui qu'elle a sur sa table de nuit. Ça m'est égal si son journal, c'est enveloppé de beau satin avec plein de rubans et de perles tout partout et si mon mien, c'est juste des papiers trouvés dans la corbeille que j'ai attachés ensemble avec une mesure de fil. C'est un journal juste tout pareil. *Mon* journal *à moi*. Et j'ai décidé d'écrire ladan chaque fois quand j'ai l'occasion.

Faut vraiment je suis très, très prudente, pasqué si mon maître découvre l'affaire, il me fouettera, sûr ! Temps en temps, j'entends Maît' Henley jurer que si surprend ses esclaves en train d'apprendre, il les battra à mort et vendra leur la peau à des esclavagistes dans le Sud profond. Maît' Henley, il a la loi pour lui. Celui qu'on surprend à instruire un esclave dans l'État de la Virginie peut être envoyé prison. Sûr ! Me demande bien pourquoi les Blancs veulent toute force nous empêcher d'apprendre. Qu'est-ce-qui leur fait peur ladan ?

Peux pas m'empêcher de rire un 'tit peu quand je m'imagine la tête que Maît' Henley, il ferait, si connaissait que je lis mieux que son garçon — et que c'est sa propre femme qui m'a appris !

C'est presque nuit noire. Seigneur, je te prie, fais que personne trouve mon journal derrière la brique qui tient pas bien, dehors, dans le mur de la cuisine. Fais que le journal reste bien à l'abri et bien au sec jusqu'à quand je peux me faufiler dehors pour écrire encore.

Le lendemain matin, première lueur du jour

Je me suis levée de très, très bonne heure pour baratter le beurre du 'tit-déjeuner et aider à la cuisine comme tante Tee, elle attend de moi chaque matin. Ça me donne un 'tit bout d'temps pour faire mes exercices d'écriture à ma préférée place près du gros chêne, juste derrière la cuisine. Le lever du soleil, c'est une bonne heure pour écrire — quand tout est calme et tranquille.

J'aimerais parler à quiqu'un propos tout ce que j'ai appris les trois années passées. Les mots, c'est magique. Chaque fois quand je lis ou j'écris un mot, ça met une nouvelle image dans ma tête.

C'est comme quand j'écris M-A-I-S-O-N : je vois alors la plantation Belmont avec tous les gens qui habitent là. Je vois la Grande Maison où Maît' Henley,

M'ame Lilly et William, ils ont la vie douce. Je vois la cuisine séparée avec la soupente juste au-dessus où je dors avec tante Tee, onc' Heb et Hince. Je vois les Quartiers où mes amis vivent, et derrière leurs cases, les champs et les vergers où ils travaillent. Je vois tante Tee qui cuisine dans la cheminée, et les écuries où Hince, il soigne les chevals de course de Maît' Henley, et les jardins qu'onc' Heb, il rend si jolis. Maison. Ce mot-là me montre tout ça.

Maît' Henley se croit le grand propriétaire de tout, ici, à Belmont. Tout cas, il est pas propriétaire de mon esprit et de mon âme. Je connais que si me demande venir, je dois venir. Et quand il ordonne de faire ci ou ça, mieux vaut obéir, sans quoi, gare à son fouet ! Mais j'ai compris qu'il peut pas me dire ce que je dois penser et sentir et connaître — il peut bien me regarder chaque jour, il peut pas voir qu'est-ce qu'y a dans ma tête ; peut pas voir ce qu'y a ladan. Personne, il peut.

Quelques jours plus tard

Il a mouillé tout le long la journée. Tout est humide et collant. Je me demandais si mon journal restait sec dans sa cachette. C'était pas la peine me faire souci, la pierre, elle le protège bien.

Le lendemain

Il a encore plu aujourd'hui. Quand ça mouille aussi fort, les nègres des champs vont pas travailler. Mais pour nous, les esclaves de maison, le travail, ça n'a pas de fin — jamais de jours de congé.

Tante Tee, elle dit :

– Tu es bien chanceuse, Clotee, d'avoir été choisie pour travailler à la Grande Maison.

Je suis pas si sûre. Vivre sous les ordres de Maît' Henley et M'ame Lilly, c'est pas si facile. On doit obéir à leurs ordres chaque heure le jour, chaque heure la nuit. Mais le travail aux champs, c'est très, très dur — dur pour le dos surtout — et l'été, la chaleur, elle est étouffante. Toute façon, les maîtres, ils peuvent le mettre au travail où ils veulent, tout ce qui arrive dans la vie d'un esclave, c'est un *désastre*.

Le lendemain

A-R-B-R-E. J'ai juste écrit le mot à l'instant et je vois mon arbre — le grand chêne vert derrière la cuisine où je viens pour écrire chaque fois quand je peux me sauver. J'ai ajouté un « s » à arbre, et le mot, c'est devenu : ARBRES. L'image dans ma tête change : je vois des vergers de pommes au printemps avec plein de fleurs blanches éclatantes. Je ferme les yeux et je vois les mêmes arbres dans le vert de l'été, puis les mêmes arbres à l'automne, remplis grosses pommes goûteuses. J'aime jouer avec les mots — ajouter ou enlever des lettres — et voir les images changer aussitôt.

Lundi

Je connais c'est lundi, pasqué M'ame Lilly, elle vient à la cuisine chaque lundi matin pour distribuer la farine blanche, la semoule de maïs et le sucre.

C'est trop difficile d'avoir des secrets pour les gens que on vit avec. Quiquefois, quand j'aide tante Tee à la cuisine, j'ai si beaucoup envie lui parler propos ce que je connais. Mais je peux pas, même si depuis cinq ans passés — depuis que Man est morte — tante Tee, elle est devenue pour moi presque une Man. Je la crois pas capab' de me faire le plus 'tit mal, mais elle a été toute sa vie au service Maît' Henley — cuisinait déjà pour Missié longtemps, longtemps avant qu'il marie M'ame Lilly. Alors je peux pas courir le risque.

J'aimerais dire onc' Heb comment j'ai utilisé son couteau pour tailler une penne de dinde et fabriquer une plume — il serait fier, très fier de sa fille-tournesol, comme il m'appelle. Mais onc' est vieux maint'nant, il a très mauvaise mémoire — pourrait faire une bêtise et parler de moi à la personne qu'y faut pas, et cette personne, elle répéterait tout à Maît' Henley juste pour obtenir une 'tite faveur.

Qu'est-ce que je donnerais pas pour raconter Hince comment je chipe de l'encre dans le bureau Maît' Henley pendant je fais les poussières ! Je le vois d'ici : il rit, il rit si fort que ses yeux se mouillent. Mon secret, suis plus près de le dire à Hince qu'à n'importe qui. Hince, c'est comme un grand frère pour moi, toujours à taquiner et à moquer. Il dit que j'étudie tout le temps des choses et que je reste trop dans mon coin. Il croit je suis comme ça, pasqué j'ai envie et c'est tout. En fait, j'ai pas envie du tout, je dois juste faire attention pour pas être surprise à faire mes exercices de lecture et d'écriture.

Si Man, elle était encore en vie, je pourrais lui dire mon secret. Mais Man est partie, partie pour toujours, Man, elle est morte. Alors je peux parler à personne — j'ai pas assez confiance.

Deux jours plus tard

C'est même pas encore l'été, et William, il fait déjà des tas d'histoires propos la chaleur. J'ai douze ans, le garçon aussi. Mais on dirait presque un *baby* ! Peut-êt' pasqué il est toujours à se lamenter propos quique chose — surtout quand c'est l'heure d'étudier. Je reste juste tranquille et j'écoute pendant que j'évente — en haut, en bas ; en haut, en bas. Tante Tee dit : William, c'est gâté-pourri. Maît' Henley, il croit que son fils, c'est un vrai 'tit morceau de ciel sur la terre ! Bien-sûr, personne est de cet avis, même M'ame Lilly, la Man du garçon.

Le lendemain

Ce soir, y aura une réception à la Grande Maison. Tante Tee, elle m'a envoyée chercher Aggie et Eva Mae aux Quartiers pour aider à la cuisine. Chaque fois quand j'écris A-M-I, j'ajoute toujours un « s », pasqué j'ai deux des amis : Missy, la fille d'Eva Mae, qui a quinze ans, et Wook, la fille d'Aggie, qui a seize ans. C'est des grandes maint'nant, mais on est restées amis. Je les connais depuis toute petite. Peux pas me rappeler un moment je les ai pas connues.

J'ai toujours été quand même un peu jalouse, pasqué Wook et Missy, elles sont très proches l'une de l'autre et elles ont pas vraiment besoin de moi. En plus, elles ont encore toutes les deux leurs Mans. Le Pa de Missy, c'était le meilleur jockey de Maît' Henley, mais il a mouru en tombant de cheval — peu près une année passée. Maint'nant c'est Hince qui fait tout le cheval. Eva Mae, elle est toujours triste et Missy, son Pa lui manque beaucoup — c'est comme Man pour moi. Wook, elle est chanceuse d'avoir un Pa comme Rufus. Celui qui connaît Rufus et Aggie, il est obligé de les aimer. Rufus est arrivé à Belmont y a deux ans passés, venait de Hampton. C'est un homme très, très costaud, gros mais pas gras — pas très grand non plus. Onc' Heb dit que c'est un homme qui craint Dieu. Maître, il a dû voir que Rufus, c'était un chef-né, car il l'a tout de suite pris comme commandeur. Beaucoup, beaucoup de femmes avaient leurs yeux fixés sur Rufus quand il est arrivé, mais il s'a marié avec Aggie, une grande belle femme qui avait déjà une fille, Wook. Et cette Wook, Rufus, il l'a aimée comme sa propre fille.

Aggie va avoir un bébé très bientôt. Quand son temps sera venu, tante Tee, elle fera le naccouchement. Tante Tee, c'est la sage-femme de la plantation, elle a mis au monde Hince, Wook, Missy et même moi, Clotee. Elle veille sur toutes les femmes qui attendent leurs couches. Elle m'a montré les secrets de toutes ses recettes de médecine, mais elle veut pas me laisser voir un naccouchement. Je voudrais connaître ces choses, mais tante Tee, elle dit c'est pas pour moi. Comment elle peut connaître que c'est pas pour moi, si elle me laisse jamais aller ?

Le lendemain

Même si on habite tout près, Wook, Missy et moi — c'est juste une 'tite promenade —, on peut pas se visiter beaucoup pendant la semaine, juste le samedi soir et le dimanche. Je dois avouer une chose : j'aime mieux Wook que Missy. Missy, quand elle était petite, elle nous poussait et nous frappait tout le temps. Maint'nant qu'elle est grande, elle pousse et elle frappe toujours, mais avec des mots. Hier encore, elle est venue me dire — juste pasqué je travaille à la Grande Maison — que je me prenais pour une grande dame. Aggie et Wook, elles travaillent aux champs, penchées tout le jour sous le chaud soleil. Tante Tee dit que ça suffit pour rendre quiqu'un méchant.

Le lendemain

Maint'nant, on risque plus d'autres gelées tardives, et la lune, elle est pleine. Tante Tee dit c'est le moment de planter le potager derrière la cuisine. La famille Henley, elle mangera sur ce potager tout l'été et même une partie de l'automne. On a mis ladan des légumes verts, des cacahuètes, des choux, des gombos — tout ce qu'on peut planter sur ce 'tit lopin. M'occuper du jardin, c'est un travail qui me pèse pas du tout, au contraire. Travailler avec les plantes, les regarder pousser et préparer la nourriture, c'est du bonheur.

Le soir suivant

Ce soir, l'orage s'a déchaîné très tôt. Des éclairs terribles illuminaient tout le grenier. J'ai 'sayé pas avoir peur. Seigneur, Man me manque affreux. Quand j'étais 'tite, les nuits d'orage, Man et moi, on se serrait l'une contre l'autre, et j'avais pas peur.

La pluie a fini par s'arrêter, mais y a pas d'air du tout — c'est si chaud, si humide je peux pas dormir. Et puis, quand je m'ai réveillée, j'avais encore rêvé de Man. Je m'ai glissée sans bruit dehors en faisant très attention à réveiller personne, et, comme ça, j'ai pu venir écrire.

Je suis près du grand chêne, *ma* place *à moi*. Là, je peux laisser mes larmes tomber comme la pluie et raconter ma tristesse à la lune. Ecrire propos mon rêve aide le chagrin à partir.

Dans mon rêve, je touchais la figure ronde et brune de Man. Comme elle faisait toujours avant, elle a mouillé le bord de son tablier pour essuyer ma sueur sur le front et la lèvre supérieure. Puis je lui ai lu une 'tite histoire. Elle a applaudi en souriant. J'ai entendu sa voix si douce me féliciter comme Maît' Henley, il félicite

William chaque fois quand il fait bien une chose, même minuscule.

– J'ai si beaucoup appris, Man. Est-ce que je peux te montrer ce que je connais ?

Alors la douceur de sa figure, elle s'a effacée, et j'ai vu dans ses yeux une espèce d'avertissement. Mais j'ai pas compris, je pouvais pas.

– Qu'est-ce qui va pas, Man ?

Elle a voulu répondre, mais une grosse, grosse main, très puissante, l'a 'trapée et tirée dans le noir.

– Attends, Man, attends !

Mais elle était déjà partie, et quand je m'ai réveillée, j'ai juste trouvé la réalité froide qui faisait mal : Man, elle est morte.

Le lendemain

Je m'ai ensauvée pour aller faire une 'tite visite à Missy et Wook. Je les ai trouvées au milieu des jeunes plants de tabac, aux côtés de Rufus. J'étais contente de les voir. Quand on était des enfants, on passait toujours de bons moments ensemble à jouer toutes sortes de jeux. Et puis, un beau jour, Maît' Henley a envoyé Missy et Wook travailler aux champs, et moi, il m'a mise au travail à la Grande Maison. Aujourd'hui, Wook avait la figure toute tirée et fatiguée. Et Missy, elle avait envie de rien dire sauf comment Hince, il était joli et tout.

Joli, Hince ? Missy, elle a le béguin pour Hince ? Mais après, elle a quand même ajouté une chose qui m'a fait du bien. Elle a dit que Rufus a demandé à Maît' Henley la permission d'organiser une réunion pour Pâques. Je suis très surprise. Maît' Henley, c'est pas son habitude de faire plaisir aux gens comme ça, sans raison.

Dimanche de Pâques

Après le 'tit-déjeuner, on s'est tous rassemblés aux Quartiers pour la grande réunion de Pâques. Plupart le temps, on est tous si fatigués qu'on laisse tomber la réunion du dimanche. On essaye juste de se reposer. On essaye juste d'être prêts pour quand la cloche, elle sonne, le lundi au 'tit matin, et c'est tout. Mais aujourd'hui, Rufus, il nous a tous remonté le moral.

Maît' Henley est venu au culte pour voir ce qu'on faisait et nous espliquer qu'il voulait pas qu'on crie et qu'on continue avec nos stupides histoires de *libité*. Il a dit qu'y fallait prier pour avoir du beau temps et des belles récoltes et chanter des chants joyeux. Je veux pas de chants tristes, il a continué. Est-ce qu'il croit vraiment qu'on prie pour sa bonne fortune et pas pour la nôtre ? Pour finir, il a 'jouté :

– Si vous faites tout ce que je vous demande, je vous permettrai de vous rassembler plus souvent le dimanche.

Tout cas, Maît' Henley, il s'est assis, et Rufus, il a commencé son prêche. Wook m'a raconté un jour qu'avant d'être vendu à Maît' Henley, Rufus, il avait été l'esclave d'un prédicateur. Onc' Heb dit que Rufus a appris la Bible d'un bout à l'autre, connaît toutes les histoires par cœur. Un jour, j'aimerais bien lire la Bible toute seule. Y a toujours une Bible sur le bureau de Maît' Henley. Je l'ai souvent regardée, mais je l'ai jamais touchée. J'ose pas — je crois que ça se verrait.

Rufus, il a commencé la réunion en demandant à onc' Heb de réciter une prière. Puis il a invité Aggie à chanter. Et après, il a raconté une histoire propos un homme courageux — Daniel, il s'appelait — qui a fait taire les lions juste avec sa foi.

Rufus, il a dit :

– Quand on se trouvera dans la tanière du lion, faudra être comme Daniel, faudra croire de tout notre cœur que Dieu nous délivrera du mal.

Tout le monde a crié *amen*, même moi. Mais pour le lion, je suis pas trop sûre. Quelle chose 'frayante... braver un lion !

Lundi soir

Le dernier repas du jour est fini, et tous les plats, c'est lavé, 'suyé, rangé. Je suis fatiguée, si fatiguée. Tante Tee, elle dit :

– Toi, tu connais même pas qu'est-ce-que c'est, fatiguée. Réjouis-toi plutôt de pas devoir travailler aux champs !

Pourtant, je peux pas m'imaginer plus fatiguée que je suis maint'nant. Me demande est-ce que Wook et Missy, elles sont allées se coucher, fatiguées à mourir comme moi ?

Un ou deux jours plus tard

Y a juste assez de lumière pour m'exercer à écrire. LIBERTÉ c'est peut-êt' le premier mot j'ai appris toute seule. Dans les Quartiers, les gens, ils prient pour la liberté, ils chantent pour la liberté, mais pour pas que Maît' Henley, il connaît leurs vrais sentiments, ils appellent la liberté « cieux ». Tous, ils ont l'esprit fixé sur ce mot : liberté.

Mais c'est un mot qui me parlait pas, que j'avais encore jamais pu voir. Pendant que j'étais à éventer cette après-midi, mes yeux, ils sont tombés sur liberté – c'était dans un livre de William. Pas étonnant que je voyais rien. J'épelais : L-I-B-I-T-É.

J'ai bien rangé les bonnes lettres dans ma tête pour être sûre de pas oublier leur place. L-I-B-E-R-T-É. J'ai juste écrit le mot à l'instant. Mais toujours pas d'image. Les lettres, elles sont couchées comme y faut sur la page et je vois toujours rien. Épelé de travers ou pas, le mot, il a pas d'image, pas de magie. Liberté, c'est juste un mot.

Vendredi

Chaque fois quand je fais les poussières dans le bureau Maît' Henley, je regarde son calendrier et je peux connaître la date. Aujourd'hui, c'est vendredi 1er avril 1859.

Premier dimanche d'avril

Dans cette plantation, la coutume, c'est de pas faire travailler les esclaves le dimanche, mais nous qu'on travaille à la cuisine et à la Grande Maison, on a seulement deux ou trois heures de repos le samedi matin et le soir, quand le dernier repas est servi. Aujourd'hui, on n'a même pas eu ce 'tit bout d'temps.

Une nouvelle fille est arrivée à la cuisine aujourd'hui. S'appelle Spicy. Quique chose comme quinze ans.

M'ame Lilly, elle l'a achetée à la plantation Ambrose. La fille, elle est censée nous aider cuisiner et nettoyer, tante Tee et moi. Je suis contente. Mais tante Tee, elle est pas si contente de la voir là — croit que Spicy, c'est une espionne au service M'ame Lilly.

Elle m'a avertie :

– Prends garde, Clotee. Spicy, elle cherche à te prendre en défaut ; elle cherche un os à rapporter à la Grande Maison. Assure-toi de pas lui en donner.

Tante Tee, elle se trompe pas. Maît' Henley et M'ame Lilly ont promis donner des friandises et des habits en plus à celui qui cafarde. La M'ame, elle a promis me donner un 'tit mouchoir jaune avec des pensées jaunes et violettes chaque coin, si je lui rapporte tout ce qui se passe à la cuisine. Même si elle me promettait une boîte pleine de mouchoirs, je lui dirais rien. Y a pas de mouchards ici, dans cette cuisine. J'espère Spicy, l'est pas une moucharde non plus.

Le même jour, un peu plus tard

Spicy, elle a l'air plutôt gentille. Mais elle cause pas beaucoup. Elle s'est installée ici avec ses 'tites affaires, prête à commencer le travail lundi, première lueur du jour.

Tante Tee, elle a dit :

– Notre journée, elle commence quand les coqs chantent.

Ça m'a donné le vertige de l'entendre réciter la liste de tout ce qu'on doit faire ici : préparer trois repas par jour, monter les plats à la Grande Maison et servir à table. Premier repas, huit heures. Repas de midi, douze heures pile. Dîner, six heures trente du soir. Puis on nettoie à fond et on prépare tout pour le lendemain. Entre-temps, on fait le ménage général — les poussières. M'ame Lilly, elle veut une maison propre, mais elle veut pas aider du tout, du tout à la garder propre. Elle jette ses affaires tout partout dans la chambre, et la commode, elle est toujours sens dessus dessous. Lundi, c'est jour de lessive, et mardi, on repasse. Ces jours-là, Eva Mae et Aggie, elles montent des Quartiers pour donner un coup d'main.

Tante Tee, elle a 'jouté :

– William, il prend pas ses repas avec ses parents il mange à une plus petite table sur le côté une heure avant. C'est toi qui vas le servir. Compris, ma fille ?

Spicy, elle a dit oui avec sa tête. De toute ma vie j'ai jamais vu personne avec des yeux pareils : on dirait deux grands étangs de désolation. Je me demande bien ce qui a pu arriver à Spicy pour lui donner un air aussi triste.

Lundi

C'est encore lundi. Première chose, ce matin, M'ame Lilly, elle a débarqué à la cuisine avec sa robe frou-frou, distribuant les rations de farine, de sucre, etcitéra, et se comportant comme si elle était au courant de tout ce qui se passe ici.

Tante Tee, elle a dit en riant tout bas :

– Cette femme, elle est pas capab' de reconnaître le sel du sucre, et elle connaît encore moins comment cuisiner avec.

Pourtant, la M'ame, ça lui plaît beaucoup se faire passer pour la reine de la cuisine. Elle peut bien jouer les reines, on est tous plus au courant qu'elle. Demandez n'importe qui, tous, ils vous répondront que tante Tee, c'est la vraie maîtresse de la cuisine de Belmont.

M'ame Lilly, elle compte tous les bidons de conserves et les légumes secs on a besoin pour les recettes ; elle veut s'assurer qu'on mange pas de la nourriture en plus ou qu'on en donne pas aux esclaves des Quartiers. En bas, ils ont jamais assez à manger, et s'ils avaient assez, ils auraient pas assez de temps pour le manger.

Tante Tee, elle est cuisinière ici, à Belmont, depuis seize ans passés — depuis que Maît' Henley, il est arrivé du Tennessee pour marier M'ame Lilly. Tante Tee, c'était la seule esclave qu'il avait. Tous les autres esclaves, ils appartenaient à la famille M'ame Lilly — famille riche, très riche. Maît' Henley, c'était pauvre comme un rat d'église, mais il a courtisé la veuve Lilly jusqu'à quand elle a bien voulu l'épouser. Tante Tee, elle dit que Maître, il a pas marié M'ame Lilly, il a marié *largent*. Il espérait que posséder Belmont, ça ferait de lui un gentleman. Mais il peut bien avoir plein de largent, c'est pas du tout un gentleman.

Tante Tee, elle a sa façon à elle de faire les choses, et ça rend folle M'ame Lilly.

– Je vais pas toujours cuisiner pour pas manger, dit tante Tee en riant.

Elle connaît comment chiper et mettre de côté, aussi, plupart le temps, on peut manger à notre suffisance. Quiquefois, elle réussit même à chaparder assez pour porter un peu de nourriture à un enfant malade ou à une Man des Quartiers qui allaite son *baby*. Tout cas, on espère tous qu'on peut faire confiance Spicy, qu'elle va pas aller faire sa commère et sa cafarde.

Je peux pas être sûre, mais je crois vraiment pas que Spicy, c'est une moucharde. Elle parle pas beaucoup. Aussi on la laisse juste tranquille.

Encore lundi

Spicy, elle est déjà ici depuis une semaine passée. Elle est aussi grande qu'un homme et peu près aussi costaud. Mais, Seigneur, qu'est-ce que cette fille, elle est maladroite ! Elle arrête pas de trébucher sur des choses, cogner des choses, faire tomber des choses.

Tante Tee, elle a dit avec un 'tit peu moins de méfiance dans la voix :

– Cette fille, elle a été habituée depuis toute petite aux plus durs travaux.

Spicy a réussi amadouer tante Tee le jour où elle l'a aidée à essorer des grands vieux draps très, très lourds comme si c'était juste des essuie-mains. Et Spicy, elle s'a pas plainte une seule fois — même quand ses mains, elles étaient toutes rouges et écorchées. Cette fille, elle est capab' de soulever des marmites bouillantes et même de couper du bois. Elle a les mains rudes, très rudes, c'est sûr, mais ça l'empêche pas d'être jolie. Seulement c'est difficile de voir sa figure bien en face, pasqué elle garde tout le temps la tête baissée.

Elle est plus grande et plus âgée que moi. Pourtant, je connais pas pourquoi, je sens qu'elle a besoin on s'occupe d'elle. C'est peut-êt' ses yeux qui me donnent cette impression.

Plus tard

– Cette fille, elle est pas à sa place ici, elle devrait être aux champs avec les nègres de houe, a dit Maît' Henley quand il a vu Spicy servir à table avec moi.

– Au contraire, elle sera d'une grande aide dans la

maison, a répliqué M'ame Lilly, ajoutant qu'elle avait acheté Spicy pour trois fois rien.

Spicy, elle est pas encore au courant, mais ici, à Belmont, on est au milieu d'une vraie guerre. Maît' Henley et M'ame Lilly, ils sont toujours à se disputer. Si l'un dit oui, sûr que l'autre va dire non. C'est M'ame Lilly qui a 'cheté Spicy, alors bien sûr faut que Maît' Henley, il trouve quique chose à reprocher à cette fille.

Ça n'arrête jamais. Faut qu'ils se disputent tout le temps tous les deux pour des queues de cerises. M'ame Lilly, elle dit que tante Tee prend des grands airs et qu'elle a besoin d'une bonne correction ; Maît' Henley, il aime pas onc' Heb, prétend qu'il sert à rien.

– Donner un coup de bêche et retourner la terre autour de ces stupides roses, dit Maître, c'est pas ça qui va remplir mes greniers de céréales !

Mais il est pas capab' de comprendre que Belmont, c'est joli, pasqué oncle Heb, il se soucie tellement propos des fleurs. Maît' Henley, il peut pas voir ce qui est joli, pasqué son âme, elle est trop méchante.

Si le mot « méchant », c'était un A-R-B-R-E, il pousserait en un clin d'œil ici, à Belmont !

Mardi

Pendant la leçon, la M'ame, elle a donné William une calotte sur l'oreille.

– Et toi, Clotee ! Approche ! elle a dit en m'aboyant à la figure, comme si j'avais quique chose à voir avec la chaleur. Allez, remue donc plus vite cet éventail !

Approche ! Elle connaissait pas c'était exactement ce que je voulais qu'elle demande. En me tenant juste derrière William, je peux jeter un coup d'œil par-dessus son épaule et voir les mots dans son livre.

Quiquefois, quand j'évente, je fais comme si je m'ai endormie — je laisse les bras tomber. Et quand M'ame Lilly, elle crie sur moi, je saute en l'air comme si je m'avais réveillée d'un seul coup. Comme ça, elle croit que je m'intéresse pas du tout à ce qui se passe.

Mais faut je fais attention. Je veux pas être surprise à apprendre, mais je veux pas non plus perdre mon travail.

Le lendemain

Le repas de midi a été interrompu, pasqué vingt cavaliers ont fait halte du côté de Belmont. Ils cherchaient un homme qu'ils disaient que c'était un... nabo du nord, un nabo quique chose — un mot j'ai jamais entendu avant. Tout cas, l'espression sur la figure de Maît'

Henley, elle faisait comprendre que l'homme, nabo quique chose ou pas, il a des gros, gros ennuis.

Maît' Henley a envoyé Hince sonner la cloche de la plantation pour que tout le monde se rassemble devant la maison. Après, il a compté nos têtes pour être sûr que les vingt-sept esclaves de la plantation étaient tous là. Quand il a été bien sûr, il a fait circuler le portrait d'un homme blanc avec une tignasse noire tout emmêlée et un bandeau sur l'œil gauche.

– Si vous voyez cet homme, il a dit, venez m'avertir immédiatement ; je récompenserai celui qui nous aidera à l'attraper.

Il a jeté un coup d'œil à l'image et craché, puis il a froissé le papier qui est devenu une 'tite boule. Et la 'tite boule, il l'a jetée en traitant encore une fois l'homme de nabo..., abo..., abolistite, je crois.

Quand personne regardait, j'ai ramassé la boule de papier chiffonné et je l'ai cachée dessous ma robe. Je voudrais bien connaître qui c'est, cet abolistite.

Jeudi

Spicy et moi, on a aidé tante Tee à faire des gâteaux au gingembre. Spicy, elle a versé plus qu'y faut dans le bol. Qu'est-ce qu'elle est maladroite ! Je crois qu'elle est née comme ça. Aussitôt après le dernier service, Hince et oncle Heb sont venus à la cuisine pour le dîner.

Tante Tee, elle avait préparé un gâteau à deux étages avec de la confiture de framboises au milieu pour Maît' Henley. En tout cas, il s'imaginait c'était pour lui. Tante Tee, elle avait mis de côté juste assez de pâte pour me faire un 'tit gâteau peu près taille ma main. Elle a dit :

– Un zoizo qui passait par ici m'a parlé d'une fille de la plantation qui est arrivée sur cette terre y a peu près douze ans de ça.

Personne connaît le vrai jour de ma naissance, mais tante Tee, elle a expliqué :

– Tu es née au moment où les cornouillers, ils étaient tout en fleurs.

– Ta Man, elle t'aimait tant, elle aimait même l'air que tu respirais. Nous tous, pareil ! a ajouté onc' Heb – et il m'a donné une poupée pas plus haute que deux pouces, qu'il avait sculptée dans du bois dur.

Je l'ai appelée 'Tit Bout, pasqué elle est si petite. Man, elle a bien connu tante Tee et onc' Heb. En fait, quand elle a été chassée de Belmont et envoyée ailleurs, elle m'a confiée à eux avant de partir. J'avais tout juste l'âge des premiers souvenirs quand c'est arrivé.

Avec juste des herbes des champs, Hince, il avait fabriqué pour moi un chapeau de soleil. Il a posé le chapeau sur ma tête, et bien sûr, il a pas pu s'empêcher me taquiner comme il fait toujours en disant :

– Si tu perds le chapeau, je m'en vas démolir ton tête.

Ces mots, ils ont eu l'air de fâcher beaucoup Spicy. Elle a 'raché son tablier pour courir dehors, et je lui a couru après. Je lui ai dit :

– Hince, il parlait pour de rire ! Jamais, il me frapperait.

Et tante Tee, elle a 'jouté :

– Laissez-la tranquille.

Alors on l'a laissée tranquille.

Spicy, elle porte sur la tête un panier rempli de chagrins, ça s'empile, s'empile, ça finit pas. L'a dû être battue dur, très dur, et souvent, y a des chances. Chaque fois quand une main se lève, 'sitôt, elle couvre sa tête. Plupart le temps, je la laisse tranquille, je l'embête pas. Elle parle pas beaucoup, alors je lui réponds pas beaucoup non plus. La nuit, quand on est couchées côte à côte sur nos paillasses, je l'entends pleurer. Je me demande : est-ce qu'elle m'entend pleurer aussi quiquefois ?

Vendredi

Aujourd'hui, j'ai vu le calendrier de Maît' Henley. C'est vendredi, le 15 avril 1859. Je m'ai aussi exercée à écrire. Juste à l'instant, j'ai écrit R-I-V-I-È-R-E : je vois la rivière James qui coule devant la Grande Maison. Me demande bien ce qu'y a au bout de cette vieille rivière remuante et paresseuse. Jamais encore j'ai quitté Belmont. Peut-êt' M'ame Lilly m'emmènera un jour avec elle quand elle ira à Richmond faire des courses et des visites.

Samedi

Ce matin, Hince et Spicy, ils ont eu une vilaine prise de bec. Spicy, elle est vraiment susceptible, surtout propos son nom – que ça veut dire « épicée ». Elle supporte pas qu'on plaisante là-dessus. Quand Hince, il a découvert ça, il a sauté sur l'occasion, l'a pas pu s'empêcher taquiner Spicy. Il a demandé si elle était plutôt cannelle ou plutôt muscade ? Seigneur, qu'est-ce qu'il avait pas dit là ! Spicy, elle a monté 'sitôt sur ses grands chevals et lui a flanqué une gifle retentissante en plein sur la bouche en lui criant à la figure :

– 'spèce de chien à moitié blanc !

Et notre Hince, il s'est étalé de tout son long par terre.

– T'a pas aimé ça, hein, la fille !, il a hurlé en réponse.

Spicy, elle l'avait blessé profond, ça se voyait sur sa figure. Personne ici, à la cuisine, cause jamais trop de sa couleur, à Hince. Les yeux de Spicy, ils étaient remplis de larmes. Elle avait vraiment pris la mouche et elle est partie à pas lourds, très lourds en disant :

– Peut-êt' tu ressembles le vieux Maître, mais t'es pas

vraiment blanc. Et je vais pas supporter longtemps tu me traites comme ça !

Les mots qu'on a dits, vrais ou faux, on peut pas revenir dessus, on peut pas les effacer. Hince, il pourrait passer pour n'importe quel garçon blanc ordinaire, juste un membre de la famille de la Grande Maison. Il a des yeux de chat gris-vert et des cheveux bouclés couleur de sable. Dans les Quartiers, on raconte que son Pa, c'est un homme blanc — peut-êt' le frère de Maît' Henley, peut-êt' même Maît' Henley. Peu importe qui c'est, son Pa. Hince, c'est comme un frère pour moi. Je connais que ça l'ennuie d'avoir l'air blanc, mais toute façon, c'est un nègre comme nous.

Plus tard

Chaque fois quand je suis tracassée par quique chose, je vais trouver onc' Heb au milieu de ses roses et je l'aide à enlever les mauvaises herbes. Avant même je me rends compte, les tracas, ils sont presque envolés.

J'ai raconté onc'Heb ce que Spicy, elle a dit. La couleur de la peau, elle compte pas quand on est un esclave, oncle Heb, il a espliqué avec des mots très faciles à comprendre.

– La loi de Virginie, elle dit : si la Man, elle est noire, alors ses enfants, c'est des esclaves tout pareil. Hince a l'air d'être un blanc mais en fait, c'est un noir, pasqué sa Man, Ola, elle était noire. Qui c'est, son Pa, ça change rien.

Tante Tee, elle a jamais dit qui c'est, le Pa de Hince, et j'ose pas poser la question, mais peux pas m'empêcher de me demander. Et si c'est Maît' Henley, alors quel effet ça lui fait d'être l'esclave de son propre Pa ? Y a quique chose vraiment pas bien, pas bien du tout dans cette affaire. Mais ça arrive tout le temps. Dans les Quartiers, y a plein de noirs qui ont l'air d'être des blancs. Leur Pa, l'est blanc, mais leur Man, elle est esclave. Alors, eux aussi, ils sont esclaves. C'est pas juste !

J'ai jamais vu mon Pa. Man m'a dit que son nom, c'était Bob Coleman. Il s'a noyé dans la rivière avant je suis née. Tous, on habite juste au bord de la rivière, mais personne connaît nager. Maître, il permettra jamais, l'a trop peur qu'on s'enfuie. Penser à mon Pa me rappelle Man. Elle me manque affreux, si affreux que j'ai mal, pasqué je l'ai connue, j'ai touché sa figure, j'ai vu son sourire. Mais, c'est étrange, mon Pa, il me manque aussi, même si je l'ai jamais, jamais vu.

Au milieu de la semaine

Cieux rayonnants, cieux bleus bleus toute la semaine jusqu'à maint'nant. Spicy et moi, on travaille à un patchwork une ou deux heures chaque soir, avec des morceaux de chiffons que la M'ame, elle a jetés. Pendant ce temps, tante Tee, elle est toujours occupée à frotter et récurer des vieux pots avec du sable de la rivière ou bien à écosser une sorte de haricots je connais pas leur nom — peut-êt' des fèves. Quand onc' Heb, il est pas à travailler avec Hince dans les écuries, à conduire la famille Henley quique part ou à aller la chercher quique part, il s'assoit avec nous. Et on raconte des histoires pour passer le temps.

L'histoire que je préfère, c'est l'histoire de comment onc' Heb et tante Tee, ils ont marié.

Onc' Heb commence, mais tante Tee, elle arrête pas de mettre son grain de sel dans la conversation. Onc' Heb, il habitait ici dans la soupente au-dessus la cuisine où Maît' Henley, il avait mis tante Tee au travail. Elle lui a tapé tout de suite dans l'œil — elle était si belle et tout.

– Elle me fait penser à toi, Spicy, mais elle était vraiment maigriote. La peau sur les os ! Pesait pas plus de quarante-cinq kilos avec ses habits tout trempés. Un jour, je lui dis pour m'amuser : « Comment tu peux être une bonne cuisinière, mince comme tu es ? »

Après avoir jeté juste un coup d'œil à Heb, tante Tee, elle a dit à Maît' Henley :

– Je vais pas vivre dans le péché avec un homme, même s'il est vieux, très, très vieux.

Et elle a refusé de faire la cuisine pendant un jour ou deux.

Alors onc' Heb, il a repris l'histoire :

– M'ame Lilly, elle était très contrariée. Dans sa tête,

les esclaves, ils restaient là où on les avait mis, un point c'est tout. Si ça n'avait dépendu que de la M'ame, tante Tee, elle aurait reçu le fouet pour avoir eu le toupet de se rebeller. Mais Maît' Henley, il est maniaque propos celui ou celle qui prépare son manger, et tante Tee, elle était sa cuisinière depuis si longtemps passé. Chaque fois quand M'ame Lilly, elle 'sayait de prendre une autre femme des Quartiers pour cuisiner, toujours, il l'empêchait. Maît' Henley a fini par trouver une solutation parfaite pour tout le monde, surtout moi. Un dimanche matin, vers la Noël, le prédicateur est venu à Belmont. Le Maître, il a alors annoncé que tante Tee et moi, on allait sauter le pas.

Tante Tee, là, elle a continué :

– Nous a pas demandé notre avis. Juste annoncé le mariage. J'aurais pas choisi ce vieux homme de mon propre gré, elle dit toujours avec un 'tit sourire. Mais avec le temps, l'idée de l'avoir près de moi, ça me faisait chaud au cœur.

– À la Noël, ça fera notre seizième année ensemble, a 'jouté onc' Heb.

Chaque fois quand on arrive à ce passage, tante Tee, elle lui tapote le dos de la main. L'histoire, elle finit toujours comme ça, avec tout le monde qui sourit. Avec tante Tee et onc' Heb qui se sourient. J'aime cette histoire, j'aime la manière ils la racontent. Pendant toute l'histoire, je me sens bien, comme si une bonne chaleur me pénétrait jusqu'aux os.

Vendredi

Les jours, ça s'allonge. Ça veut dire aussi qu'on doit travailler plus longtemps. L'été, M'ame Lilly prend un bain presque tous les jours. Ce soir, Spicy et moi, on a porté dolo tout en haut de l'escalier dans des grands seaux et on l'a versée dans le tub de M'ame Lilly. Puis quand c'était fini, on a dû remettre tout l'eau sale dans les seaux, les redescendre en bas et les vider. Spicy, elle a renversé plein dolo tout partout en montant et en descendant l'escalier. Ça m'a amusée et ça l'a amusée aussi. On s'est mises à rire, à rire toutes forces. Ça faisait du bien de rire. Et ça faisait encore plus de bien de voir Spicy rire. Je croyais qu'elle connaissait même pas comment on rit.

Le lendemain soir

La nuit est claire, avec une belle lune. Une bonne nuit pour écrire.

Dans la soupente, y avait pas d'air du tout, et on pouvait pas dormir, alors j'ai porté ma paillasse dehors. Quiquefois on fait ça. Spicy, elle m'a suivie. C'était juste nous, les deux filles. On est restées allongées à regarder les étoiles. On avait tellement ri ensemble que c'était facile parler.

J'ai découvert ça ce soir. Spicy, elle a pas sa Man non plus. Et, exactement comme je pensais, elle a été maltraitée vraiment affreux — battue, battue et criée dessus à mort par son premier maître. Elle dit qu'il était bien plus méchant que Maît' Henley. Je peux même pas m'imaginer.

– Si je pouvais, je m'enfuirais d'ici tellement loin on me trouverait jamais, elle a avoué, avec l'air d'un animal aux abois. Tu me dénonceras pas, hein ?

– Y a pas de mouchards ici, j'ai répondu.

– Je suis pas une moucharde non plus, elle a répliqué.

Je la crois.

Quatrième dimanche d'avril

Le soleil va bientôt se lever, mais avant je commence la journée, je veux écrire encore « liberté ». C'est un mot si fort pour tellement de gens.

L-I-B-E-R-T-É. Liberté. Mais je vois toujours rien. Y a pas d'image, pas de magie. Rien.

J'ai regardé et regardé le 'tit dessin de Na-qu'un-œil, l'homme avec le bandeau. Sa figure, elle me parle pas non plus. Je suis sûre d'une seule chose : si ce Na-qu'un-œil, il est en train de rendre fou Maît' Henley en faisant Dieu sait quoi, alors, à mon avis, il peut pas être si mauvais que ça.

Lundi

M'ame Lilly, elle a une préférence pour sa fille Clarissa, et je comprends pourquoi. C'est une grande personne mariée avec des enfants à elle, peu près l'âge de William. Tante Tee, elle dit que M'ame Lilly, elle pensait que c'était fini pour elle, qu'elle aurait plus de bébés, et alors, *baby* William, l'est arrivé. Elle a failli mourir en mettant au monde son fils. Si y avait pas eu tante Tee, M'ame Lilly, elle aurait mouru. Les grands spécialistes, les docteurs de Richmond, ils avaient fait tout ce qu'ils pouvaient, mais tante Tee, elle a juste préparé une potion, et le lendemain matin, 'tit William, il est venu au monde avec ses pieds en premier.

– L'arbre avec tous ses mer-mer-mer...

William, il essayait de lire un poème, mais il est resté bloqué sur un mot pourtant facile, et sa figure, elle est devenue toute rouge.

– Qu'est ce qu'il veut dire, ce mot, Mère ? il a demandé.

M'ame Lilly, elle a l'humeur vive et la main leste, même dans ses bons jours. Justement, aujourd'hui, elle était pas dans un très bon jour. Elle a donné un grand coup bâton sur les doigts de William en criant :

– *Merveilleux !* Merveilleux. C'est un mot utilisé par des millions de gens. Regarde-le. Redis-le. Merveilleux !

Mais William, il a jeté son livre par-dessus son épaule et il s'a sauvé. M'ame Lilly, elle lui courait après, menaçant de l'écorcher tout vif. La leçon d'aujourd'hui, elle a fini sur cette note aigre.

J'ai regardé dans la haie et trouvé le livre que William, il avait jeté. Je l'ai rendu presque tout de suite à la M'ame, mais avant, j'ai fini de lire le poème.

Mardi

Me demande quel effet ça fait d'avoir une paire de souliers neufs. Le temps est assez chaud maint'nant pour aller pieds nus. Mes pieds, ils sont contents de plus être en prison dans les vieilles chaussures de William — celles qu'il avait jetées poubelle. Sentir sous les orteils le sol doux comme un noreiller, ça fait du bien. Peut-êt' les souliers neufs, ça donne cette impression.

Mercredi

Betty, la servante de Mr. Ben Tomson, elle est venue à Belmont pour finir une robe commandée par la M'ame. Betty, c'est une bonne couturière. Son maître la loue, et elle s'en va coudre à droite et à gauche des habits pour les gens du pays. Elle fait des robes de mariée, des belles robes de soirée — toutes sortes.

Pourtant, bonne comme elle est, Betty, elle arrive pas à la cheville de Man, quand elle était la couturière des maîtres. Ici, à Belmont, tout le monde connaît ça.

Tout cas, en ce moment, à Belmont, Betty, elle est en train de coudre pour M'ame Lilly la robe la plus vilaine de toute la Virginie. Elle est d'un vert si pâle qu'il a l'air tout délavé. C'est pas une couleur, ce vert. Je le jure, je préfère porter juste ma 'tite chemise en coton ordinaire sur la peau plutôt que cette horreur majestique que M'ame Lilly, elle se fait faire.

Quand Betty, elle a eu fini son travail à la Grande Maison, elle est passée dire un 'tit bonjour à tante Tee. J'ai écouté en faisant attention à pas me mêler à la conversation des grandes personnes.

Betty, elle a raconté que Jasper et Naomi, des esclaves de la plantation Teasdale, se sont ensauvés plusieurs semaines passées ! Les chiens, ils étaient sur la piste des fugitifs, quand, tout à coup, ils ont perdu leur trace et ils se sont mis à hurler comme des enragés.

– J'ai entendu dire que c'est le poivre rouge qui fait ça, a expliqué tante Tee.

Alors Betty, elle a dit quique chose qui m'a fait tendre l'oreille :

– Le bruit court que c'est un homme blanc qui a aidé les fugitifs à rejoindre une ligne de chemin de fer sous la terre, un homme blanc avec un seul œil, paraît-il.

Ça m'a fait réfléchir. Si Na-qu'un-œil a aidé Jasper et Naomi à s'enfuir, alors, il doit être ce qu'on appelle un ab..., un ABOLISTITE.

Un jour plus tard

Je peux pas m'empêcher de penser propos les abolistites. On dirait qu'il y a des Blancs contre l'esclavage. C'est les abolistites. J'ai du mal à m'imaginer une chose pareille, mais connaître que ce genre de gens existe quelque part sur la terre, ça me rend heureuse. Je connais les autres Blancs, les Blancs qui sont les maîtres et qui veulent garder l'esclavage. Mais je veux connaître plus de choses propos les abolistites. Où ils vivent ? Combien ils sont ? Est-ce qu'ils portent tous un bandeau sur l'œil ? Est-ce qu'y a aussi des femmes ? Tout cas, une chose est sûre, les abolistites aident les esclaves à trouver le chemin de la liberté, et connaître ça, c'est déjà bien.

Vendredi soir, 29 avril 1859 (je crois)

Spicy et moi, on faisait les poussières dans le grand salon et Spicy, elle a cassé un vase. M'ame Lilly, elle lui a donné le fouet — dix méchants coups de badine sur le dos. Cette badine, elle me faisait plutôt penser à une grosse branche d'arbre.

Tante Tee, elle a frotté ses blessures avec une espèce de pâte — eau de pluie et feuilles de chêne en poudre. Ça calme les douleurs cuisantes et ça empêche les plaies de s'infecter. Quand j'ai vu le dos à Spicy, ça m'a presque rendue malade. C'était pas les nouvelles plaies, c'était les vieilles cicatrices. Avant, elle a été battue dur, très dur... et tellement de fois ! Maint'nant, je comprends pourquoi Spicy, elle est blessée si profond ! Jamais j'ai eu des coups de fouet comme ça, et je veux pas en avoir. M'ame Lilly, elle bat Spicy méchant affreux juste pour un 'tit vase qu'elle a cassé. Qu'est-ce qu'elle me ferait à moi si elle connaissait que je peux lire et écrire ? Cette idée me donne des frissons.

Dimanche, après le dernier repas

J'ai presque mouru de peur quand Spicy, elle a renversé la sauce sur la robe d'une invitée, cassé une assiette et ébréché une tasse en servant le dîner. J'ai vraiment pensé : « M'ame Lilly, elle va tuer notre Spicy. » M'ame Lilly, elle a promis à ses invités :

– Demain, j'expédierai cette fille dans l'enfer des champs de tabac !

J'ai vu Spicy sourire. Elle avait justement envie d'être envoyée aux champs pour plus avoir Maît' Henley et M'ame Lilly sur le dos. Mais c'était pas malin de faire ça, et je lui ai dit un peu plus tard. Toute façon, le plan de Spicy, ça n'a pas marché, pasqué, juste pour embêter et contrarier sa femme, Maît' Henley, il a défendu Spicy. Il a dit qu'elle avait juste besoin d'être formée.

– Pourquoi tu te soucies de mes ennuis ? m'a demandé Spicy un peu plus tard.

– J'ai vu ton dos et je voudrais pas que ça t'arrive encore. Je voudrais que ça n'arrive plus jamais à personne ! Et puis je t'aime bien...

Spicy, elle a eu l'air vraiment surprise, comme si personne lui avait jamais dit ça avant.

Alors, pour le moment, Spicy, elle reste avec nous à la cuisine. Et je suis contente. Peut-êt' qu'elle est contente, elle aussi.

Premier dimanche de mai

Cuisiné et servi trois repas. Y a deux invités à la Grande Maison. Monté des seaux et des seaux d'eau pour les bains. Aidé à tout nettoyer. Je suis si fatiguée. Pas le courage d'écrire. Et faut encore je lave ma robe pour commencer la semaine toute propre.

Lundi soir

Tante Tee, elle m'a envoyé aux Quartiers porter un onguent à Aggie. Spicy, elle est venue avec moi. Wook essaye d'être gentille. Mais je connais pas pourquoi Missy, elle a pris Spicy en grippe. Cette Missy, elle est vraiment en train de changer. Je lui ai montré 'Tit Bout, et elle m'a moquée, pasqué je joue encore avec des poupées. Plus tard, Spicy, elle m'a dit de pas me tracasser propos ce que Missy raconte.

– Les gens, elle a ajouté, ils vous asticotent souvent juste pasqué ils sont sûrs de vous faire enrager.

– Alors pourquoi les taquineries de Hince, elles te rendent aussi folle furieuse ? j'ai demandé.

– Je déteste mon nom, elle a répondu. Spicy ! Qu'est-ce qui a déjà entendu un nom aussi stupide ? Man, elle avait décidé de m'appeler Rose. Mais notre maîtresse — l'ancienne — elle a pas voulu et elle m'a baptisée Spicy. Man, elle a été obligée d'obéir, l'a même pas eu son mot à dire dans cette histoire.

Plus j'apprends des choses sur Spicy, plus je l'aime mais aussi plus j'ai mal pour elle.

Un jour plus tard

Hince, il vient presque plus jamais à la cuisine depuis cette affreuse brouillerie avec Spicy. Alors je vais à l'écurie chaque fois quand j'ai l'occasion.

– Est-ce que Spicy, elle est méchante avec toi ? il m'a demandé Hince.

– Pas du tout.

Je lui ai dit que Spicy, elle avait juste accumulé trop de blessures et de chagrins à force d'être maltraitée. Hince a hoché la tête ; il comprenait. Spicy, je l'aime vraiment beaucoup. Je crois qu'elle pourrait être mon amie. Maint'nant quand j'écris A-M-I-S, je vois Hince, Wook et Spicy. Mais Missy, elle est plus dans l'image.

Mercredi

Hince et Maît' Henley vont aux courses de chevals presque chaque semaine. Ils sont partis hier soir à cheval pour Southampton. Hince, c'est un beau jockey très, très fort. Il gagne beaucoup de largent pour Maît' Henley.

Mercredi soir

Je peux aussi voir, et même sentir, le mot C-U-I-S-I-N-E. Il sent toujours bon — il sent les herbes mises à sécher qui pendent du toit ; les copeaux de bois de noyer qui brûlent doucement ; une marmite qui bout doucement sur le feu. Tante Tee, elle aime sa grande cheminée où quatre femmes adultes peuvent se tenir côte à côte et cuisiner ensemble. C'est la reine de la cuisine de Belmont.

Aujourd'hui, M'ame Lilly, elle est restée dans la cuisine à parler et parler propos un menu spécial qu'elle voulait commander. Tante Tee, elle a dit :

– Oui, très bien, M'ame Lilly.

Mais pour finir, elle a préparé exactement ce qu'elle cuisine tous les mercredis.

J'ai été obligée raconter à Spicy l'histoire de Maît' Henley et de tante Tee. Maît', il est vraiment maniaque propos tout ce qui va dans sa bouche. Il fait confiance à personne sauf à tante Tee pour lui préparer sa nourriture. Je l'ai entendu dire qu'il pourrait pas toucher aux plats d'une cuisinière qu'il serait obligé de la fouetter — il a peur d'être empoisonné, je suppose. Tante Tee, elle connaît pour qui elle cuisine, et c'est pas pour M'ame Lilly. Elle a déclaré :

– Le mercredi, Maître, il veut du poulet frit et des pommes mousseline, et c'est ce que j'ai préparé.

Et c'est exactement ce qu'on a servi aux invités ce soir.

Le lendemain

Ça m'amuse beaucoup de raconter à Spicy comment les choses, elles marchent ici à Belmont. Hier soir, je lui ai raconté pourquoi Maît' Henley, il protégeait tante Tee, mais je lui ai pas espliqué pourquoi il était monté contre onc' Heb. La meilleure manière de lui faire comprendre, c'était de commencer par le commencement – par le jour où Maît' Henley, il est arrivé à Belmont pour la première fois.

Onc' Heb vivait déjà ici à Belmont quand Maît' Henley, il a marié M'ame Lilly qui était alors veuve avec un enfant. Il dirigeait la propriété, s'occupait des vergers, et tout et tout.

La rumeur dit : longtemps passé, onc' Heb, c'était un homme très grand, très beau. Même aujourd'hui, tout estropié qu'il est cause l'âge et le travail trop dur, il a encore belle allure. Dès qu'il est arrivé ici, première chose, Maît' Henley, il a voulu vendre onc' Heb. M'ame Lilly, elle voulait pas. Elle disait qu'onc' Heb, il était né ici à Belmont. Lui et le Pa de M'ame Lilly, David Monroe, ils avaient même joué ensemble quand ils étaient encore des enfants. M'ame Lilly, elle aime bien se vanter de tous les présidents et les gouverneurs qui sont venus manger ici, à Belmont.

Onc' Heb adore fanfaronner lui aussi.

–J'ai allé tout partout sur cette terre 'méricaine, il a dit en évoquant ses souvenirs de l'époque où il voyageait avec David Monroe. Longtemps, longtemps passé, le Maître et moi, on allait partout. À Richmond... Norfolk... Jamestown... On a même été jusqu'à Mount Vernon. On a été partout, tout partout dans ce grand pays 'méricain.

Seigneur, qu'est-ce que je donnerais pas pour voir un seul de ces endroits !

Hince, c'est le seul de nous qui a voyagé plus loin que onc' Heb. Un jour, je me rappelle, William m'a raconté que dans les bois y avait des fantômes ; y avait même un gros serpent qui vivait là, et ce serpent, il dévorait tous les esclaves qui osaient quitter Belmont. Personne m'a appris plus de choses que onc' Heb. Les jeunes, les vieux, tout le monde l'aime — oui, tout le monde, 'cepté Maît' Henley — mais ça, c'est pasqué onc' fait un peu partie de la famille M'ame Lilly. Onc' Heb, il dit :

– Maît' Henley, c'est rien que de la bagasse, de la racaille blanche qui s'a apparentée à une bonne famille de Virginie.

L'a jamais eu de goût pour son nouveau maître.

Samedi

Ce soir, y avait une réunion dans la grange, pasqué Wook, elle mariait Lee — un bougre de la plantation Teasdale, presque deux fois son âge. Maît' Henley, il est descendu aux Quartiers pour assister à la fête et il a prononcé un 'tit discours pour leur souhaiter d'avoir plein, plein de *babies*.

Je peux pas croire que Wook, elle est mariée. Elle a seulement quelques années de plus que moi, et c'est pas demain je serai prête à sauter le pas ! Et Wook, l'expression sur sa figure disait qu'elle était pas prête non plus. Je pensais même pas elle regardait déjà les garçons. Et la voilà mariée. Pourquoi elle m'a pas dit ?

Les gens de la cuisine, tous, on est venus. Spicy aussi, elle est venue, même si elle voulait pas. Onc' Heb, il a coupé des roses pour chacune de nous trois, pour mettre dans les cheveux. J'ai pris la rouge ; Spicy, elle, aimait bien la jaune. Elle a l'air plus heureuse qu'avant, quand elle a débarqué ici, mais ses yeux sont toujours deux lacs de chagrin.

Hince est revenu. Il était dans la grange à danser avec toutes les filles. Le seul bougre qui a pas encore marié ici à Belmont, c'est Hince. Tout le monde se demande avec qui il va sauter le pas. Je crois que Missy, elle voudrait bien lui dire oui tout de suite, suffit de voir comment elle le regarde. Mais Hince, il peut trouver mieux que Missy. Je l'espère de tout mon cœur.

Hince, il connaît comment s'amuser.

Si loin je peux me souvenir, toujours, il danse avec moi en premier. Mais ce soir, il est passé devant moi et il est allé demander à Spicy la première danse. J'ai été très surprise et même un peu interloquée. Je suppose que c'était une manière de lui faire des avances. Je pensais pas que Spicy danserait avec lui, mais je me trompais.

Quand elle s'est levée, tout le monde s'a mis à rire sous cape. Tout le monde connaît comment Spicy, elle peut être maladroite. Mais elle nous a tous impressionnés en levant haut la jambe et en frappant des mains comme une diablesse pour marquer le rythme. Personne ici avait encore jamais vu ça ! J'ai découvert une Spicy que je connaissais pas. Je m'aurais jamais imaginé qu'elle pouvait être aussi heureuse, souriante, légère, libre comme un zoizo. Et quand elle dansait, elle était pas maladroite du tout. Les regarder tourner, tourner ensemble, elle et Hince, ça m'a fait oublier que j'étais folle furieuse contre Hince, pasqué il m'avait pas invitée à danser en premier. Tout était bien ainsi.

Après cette danse, tout le monde réclamait à Spicy une cabriole battue ou un brisé volé. Personne m'a invitée à giguer. Mais même si un bougre s'avait présenté, tante Tee, elle m'aurait pas laissée, pasqué j'ai pas encore l'âge d'être courtisée. Je peux juste danser avec Hince, pasqué c'est comme un frère pour moi.

C'était une très bonne soirée, mais je crois pas que Wook, elle s'a amusée une seule minute. L'est restée assise, les bras croisés et l'air chagrin. Si elle voulait pas marier, alors pourquoi elle l'a fait ?

Dimanche

Ce matin, Hince est venu au culte pour la première fois. Juste pasqué tante Tee, elle l'a obligé. Il s'est assis entre Spicy et moi, et il a 'sayé nous faire rire avec ses grimaces. Tante Tee, elle m'a pincé le bras pour que je me tiens tranquille. Et Missy, elle a pas arrêté de rouler des yeux furibonds de notre côté. Après, on devait tous se dépêcher pour aller prendre notre souper. Et alors, cette Missy, elle s'a presque jetée sur Spicy en disant :

– Te figure surtout pas que tu vas marier Hince, juste pasqué tu travailles là-haut à la Grande Maison avec les missiés blancs. C'est avec moi qu'il va sauter le pas, alors le regarde pas, compris ?

Et elle est partie, fière comme un paon.

Hince, il songe pas à se marier pour le moment. Avec personne. Je crois que Missy, elle a juste voulu dire quique chose méchant à Spicy. Mais je peux pas m'empêcher d'y penser — Spicy et Hince ? À dire vrai, je m'aurais jamais imaginé un assortiment pareil, mais plus j'y pense, plus je les revois giguer ensemble, plus l'idée me semble riante. Spicy et Hince.

Lundi

J'ai beaucoup appris pendant la leçon. Je connais les jours de la semaine et les douze mois — dans l'ordre —, je connais les saisons. Presque toujours, c'est le soleil, la lune et tout ce qui se passe pendant une journée qui nous disent l'heure. Mais le temps s'a déjà mis à la pluie, et on arrive pas à distinguer un jour de l'autre — y a que du gris. Pas de soleil. Tout ce que je touche, c'est humide.

Mardi

Quand j'ai passé près des champs, Wook m'a fait un signe de la main. Je lui ai répondu. Mais tante Tee, elle trouve que je dois plus fréquenter Wook, pasqué c'est une femme mariée. Les filles et les femmes, ça devrait pas être mélangé, elle dit.

Chaque fois quand j'écris le nom de Wook maint'nant, je vois une femme adulte avec un mari. Une partie de moi voudrait être ronde et pleine comme Wook ou peut-êt' un peu jolie comme cette diablesse de Missy ou même grande et solide comme Spicy. Je suis rien de tout ça. Mais si je pouvais, j'aimerais être juste un 'tit peu plus jolie.

Je m'ai déjà regardée dans le miroir de M'ame Lilly. Je suis pas exactement ce qu'on appelle un laideron, mais je voudrais au moins que mes dents, elles sont pas si grandes. Ma tête, elle est bien plantée sur mes épaules, mais j'aimerais être plus grande, plus forte. Je crois que je suis peu près comme y faut, mais je me sens pas comme y faut.

Mercredi

Dans le noir de la nuit, Rufus est venu cogner à la porte de la cuisine en criant à tue-tête. Tout en émoi, il était. Aggie, elle était sur le point de mettre au monde son *baby*. J'ai supplié tante Tee de m'emmener avec elle, mais elle m'a jamais permis de l'accompagner à un naccouchement et, cette fois-ci, elle a pas voulu non plus. Elle a choisi Spicy. J'étais folle furieuse. Vexée comme un pou, je suis allée m'asseoir dans un coin. Les grandes filles, elles peuvent faire toutes sortes de choses. J'étais plus une petite fille mais j'étais pas encore ce qu'on appelle une femme. J'étais juste entre les deux.

Je m'ai rongé les poings de rage et de dépit jusqu'à quand elles sont rentrées, et alors, j'ai demandé à Spicy de tout me raconter — tout ! En fait, tante Tee, elle avait raison. Le naccouchement, c'était pas pour moi. Après tout ce que Spicy, elle m'a dit, je crois pas que je voudrais encore voir naître un *baby*. Mais j'ai bien étudié le sourire de Spicy pendant qu'elle parlait propos Rufus, Aggie et leur beau garçon en bonne santé. Elle était tout excitée, Spicy. Elle a dit d'une voix où j'entendais du bonheur :

– Et je l'ai même aidé à venir au monde !

Elle avait l'air vraiment émotionnée, et dans ses yeux, y avait de la lumière. Alors j'ai compris que tante Tee, elle avait eu raison d'emmener Spicy.

Le lendemain

Grâce à Rufus et Aggie, Maît' Henley, il est propriétaire de vingt-huit esclaves maint'nant. Le *baby* leur appartient pas ; c'est la propriété de Maît' Henley. Je peux pas penser à autre chose aujourd'hui.

Le jour suivant

Aujourd'hui je suis allée voir le nouveau *baby*. J'ai cueilli un bouquet de fleurs sauvages pour Aggie, et tante Tee, elle lui a fait porter un panier rempli bonnes choses. Ces choses, elle les avait gardées juste pour Aggie, pasqué elle allaite son bébé et qu'elle a besoin de beaucoup manger.

Wook m'a montré son nouveau 'tit frère. Le tenir dans ses bras, c'est tellement bon, tellement doux ! Aggie et Rufus, ils sont fiers, très fiers. Je comprends pourquoi. Il est si beau, leur *baby* ! Tante Tee, elle veille bien à ce que Maît' Henley, il laisse les nouvelles Mans tranquilles une semaine après la naissance. Aussi Aggie, elle va pouvoir rester avec son fils pendant toute une semaine — juste elle et lui.

Pour finir, j'ai eu l'occasion de parler à Wook et j'ai trouvé la réponse propos son mariage. Comme je le soupçonnais, Wook, elle voulait pas marier Lee. C'est Maît' Henley qui l'a obligée. M'ame Lilly, elle suit de près les filles nubiles et elle prévient Maît' Henley. Quand Wook, elle a eu quinze ans, il lui a demandé de choisir un mari. Elle a refusé, alors Maître a choisi Lee en disant que celui-là, il ferait des bébés solides et sains. Wook, elle a dit :

– Lee m'aime pas. Et je l'aime pas. C'est pas un mariage du tout. C'est rien.

– Tante Tee et onc' Heb s'aimaient pas au début, quand ils ont marié, mais c'est venu plus tard, j'ai dit. Peut-êt' Lee et toi, vous finirez aussi par vous préoccuper l'un de l'autre ?

En fait, je croyais pas à ce que je disais, et Wook, elle le croyait pas non plus. Comment ça se pourrait quand ils vivent même pas encore ensemble ? Lee peut avoir un laissez-passer seulement une fois temps en temps.

C'est ça qui va m'arriver à moi aussi ? Quand je serai nubile, est-ce que Maît' Henley, il va m'obliger à marier un bougre juste pour faire des *babies* qui lui appartiendront ? Je veux pas de ça. Non, je veux pas.

Samedi

Toute la semaine on a été occupées à nettoyer la Grande Maison de fond en comble. À force récurer, toute la crasse de l'hiver, c'est parti pour laisser place à la poussière de l'été. On a travaillé jusqu'à quand on a eu les mains tout écorchées et mal à notre dos à hurler. Tante Tee, elle a fabriqué un baume pour calmer l'endolorissement. Elle me laisse toujours regarder, quand elle confectionne une de ses drogues. Je connais toutes sortes recettes de baumes et de potions, mais elle m'a interdit de dire à quiconque ses secrets. J'ai promis que je répéterai rien, mais quiquefois, ça m'ennuie très beaucoup d'être le fermoir à secrets de tante Tee, pasqué je peux pas dire mon mien secret, j'ai peur.

Plus tard

Un vieux ami de jeu de Maît' Henley, Stanley Graves, est ici pour un jour ou deux. M'ame Lilly, elle prend tous ses repas avec William. Juste pour contrarier Maît' Henley. Elle approuve pas les jeux de largent.

Pendant que Spicy et moi on servait le dessert, on a surpris une conversation entre Graves et le Maître. J'ai écouté tant que j'ai osé. Graves, il disait que les abolistites auraient peut-être un candidat à la présidence des États-Unis.

Je suis au courant pour le président, à cause des leçons de William. C'est le maître de tous les autres maîtres. Eh bien, si le président est un abolistite, alors il pourra supprimer l'esclavage, et les maîtres pourront pas l'arrêter.

J'ai entendu un nouveau mot. Cécession. Je vais l'ajouter à la liste des mots je dois connaître.

Troisième dimanche de mai

J'ai jeté un coup d'œil au calendrier sur le bureau de Maît' Henley. On est le dimanche 22 mai 1859. Ce matin, Rufus, il a parlé du jardin d'Éden. Le jardin de Dieu, rempli de paix et d'amour, pas de souffrance, pas de chagrin, pas d'esclavage, rien. Par ici, y a pas un endroit pareil — sûr ! Pendant toute la réunion, on a entendu Maît' Henley et M'ame Lilly se disputer encore et encore : ils se criaient des méchants mots, ça volait de tous les côtés. Ça veut dire que Spicy et moi on va être durement traitées tout à l'heure quand il faudra la servir. Toute façon, elle nous flanquera une gifle — qu'on a bien travaillé ou pas.

Après le dernier repas de dimanche, je suis venue écrire ici, à ma préférée place. J'ai écrit à l'instant : B-A-T-E-A-U, et je vois un bateau rempli de gens en route pour un pays ; ils passent devant Belmont et je leur fais signe. Ils me répondent. Me demande s'ils pensent à moi comme je pense à eux. Me demande si y a des abolistites sur ce bateau.

Quiques jours plus tard

Il a mouillé toute la journée hier et aujourd'hui. Cette fois, pas de tonnerre et d'éclairs effrayants, juste le 'tit bruit régulier de la pluie : tip, tip, tap, tip, tip, tap. Mais l'air est si humide que la moisissure, elle grimpe jusqu'en haut les murs la cuisine. On a passé toute la matinée à frotter les murs avec dolo vinaigrée.

Après le dernier repas, tante Tee, elle a envoyé Spicy aux écuries avec le dîner de Hince. Elle est revenue toute souriante.

– Eh bien, ça par exemple ! a dit tante Tee, vraiment surprise. Je crois que Spicy, elle a le béguin pour Hince.

Tante Tee, c'est presque la dernière à avoir compris ce qui se tramait. Depuis déjà longtemps passé — depuis la fête —, tout le monde jase propos les yeux doux qu'ils se font tous les deux. Spicy et Hince. Spicy, c'est plus la même personne que quand elle est arrivée. Elle a changé — dans un bon sens. Spicy et Hince. Cette Missy, elle va avoir une attaque de nerfs. Tant mieux.

Le lendemain après-midi

C'est jeudi. J'oublierai jamais ce jour. William, il m'a presque surprise à lire ! Seigneur ! Faut faire plus attention. Je nettoyais le bureau Maît' Henley où y a toutes sortes de livres, et j'ai trouvé un livre qui s'appelle *Atlas*. J'étais tout excitée de voir que c'était un livre avec plein de cartes. Je cherchais la Virginie quand tout d'un coup, la porte, elle s'a ouverte, et William, il est entré.

Il a eu un 'tit rire mauvais.

– Je sais ce que tu faisais, il a dit, tu lisais ce livre !

Quand le garçon a appelé sa Man, j'ai pensé : « Tu vas mourir, ma fille ! » J'ai pensé : « Qu'est-ce-qui va t'arriver, ma fille ? », et ma langue, c'était devenu du plomb, et ma gorge, elle était sec, tout sec. Et voilà M'ame Lilly qui arrive en courant !

– Mère, il dit William, j'ai trouvé Clotee en train de lire. Elle était ici avec la porte fermée, et je l'ai surprise avec un livre.

William, il arrêtait pas de rire ! Et moi, je me tenais là, tête baissée, avec la figure la plus vide que je pouvais. Mais M'ame Lilly, elle a empêché William de continuer à me tourmenter.

– Je croyais que vous m'appeliez pour une raison plus sérieuse, elle a répondu. Où Clotee aurait-elle appris à lire, je vous le demande un peu ? C'est stupide !

Et elle est partie avec ses jupons qui faisaient frou-frou.

– Laisse la porte ouverte, Clotee, M'ame Lilly, elle a bientôt ajouté en se retournant pour me fixer avec un regard tout drôle.

William, il avait juste voulu s'amuser et me faire une vilaine farce. Il continuait à rire, mais mes genoux, ils tremblaient toujours.

Samedi

Tante Tee, elle a dit :

–J'ai eu mal au coude toute la nuit, alors il va mouiller avant la tombée du jour — sûr !

Je suis pas surprise et je vois pas pourquoi je le serais. Le coude de tante Tee, c'est très fort pour prédire le temps. Mais toute manière, l'almanach j'ai vu dans le bureau Maît' Henley, il dit : « le mois de mai 1859 sera mouillé. »

J'ai découvert cet almanach comme j'ai découvert l'Atlas, en faisant les poussières sur les étagères du bureau.

Au début, j'ai pas pu le croire. On pouvait pas connaître à l'avance quand la lune, elle allait être pleine, non et non ! Et pourtant, c'était vrai : la lune, elle a été pleine le jour même où l'almanach l'avait annoncé.

Maint'nant, faut je fais très, très attention chaque fois quand je regarde les livres de Missié Henley pour trouver des réponses à mes questions. Après avoir été presque, presque prise la main dans le sac, je suis vraiment nerveuse.

Lundi

Le soleil est toujours haut dans le ciel, pourtant y se fait tard. M'ame Lilly, elle a tout changé l'heure des leçons. Maint'nant, c'est tôt le matin, quand l'air est encore frais. Mais je dois toujours éventer.

Hince et William sont partis se promener à cheval ce matin, et William, il est arrivé en retard à la leçon. M'ame Lilly, elle a piqué une crise. Tous, on réussit un jour ou l'autre à amadouer M'ame Lilly, mais Hince, il peut faire tous ses efforts, il a aucune chance ! C'est une bonne chose pour lui d'être sous l'autorité de Maît' Henley. S'il avait été obligé travailler pour M'ame Lilly, il aurait eu la vie dure, très dure. Hince, il se rend bien compte, alors il essaye de se tenir éloigné d'elle le plus qu'il peut. On dit que M'ame Lilly, elle déteste Hince à cause de sa Man, la jolie Ola, et des bruits qui courent propos son Pa – un Blanc, sûr ! – peut-êt' Maît' Henley.

Tante Tee, elle est vraiment muette sur le sujet. Mais d'après les informations que je peux glaner ici et là auprès des femmes des Quartiers, M'ame Lilly, elle a pas pu dormir sur ses deux oreilles avant que la Man de Hince, elle a été vendue. Ola, elle était trop jolie. M'ame Lilly avait l'intention de vendre Hince tout pareil, mais Maît' Henley, il voulait même pas en entendre parler. Disait qu'un esclave mâle – adulte et formé à un métier –, ça rapportait beaucoup plus qu'un jeune garçon. Il a promis à M'ame Lilly qu'il garderait Hince au moins jusqu'à ses seize ans.

Aux premières gelées, Hince rentrera dans sa seizième année. Me demande si M'ame Lilly se rappellera la promesse. J'espère que non. Je veux pas qu'il arrive du mal à mon ami-frère Hince.

Mardi

Penser à la Man de Hince m'a fait penser à la mienne. Ola et Man Rissa, elles ont été vendues presque en même temps. Les jours ont allongé, et ça me donne plus souvent l'occasion d'écrire. J'ai écrit juste à l'instant M-A-N, Man, et je la vois comme je l'ai vue pour la dernière fois avec sa figure noire et ses yeux pétillants. Alors la mauvaise tristesse et la mauvaise solitude, elles sont revenues. Y a trop de souvenirs amers dans mon cœur. Finie, l'écriture, ce soir.

Mercredi

Je m'ai pas rendu compte que je tournais en rond, l'air tout triste, jusqu'à quand Spicy, elle a fait une remarque. Pendant que je plumais des poulets pour le dîner, je lui ai parlé de Man. Je lui ai raconté comment elle s'est trouvée mêlée à l'interminable bataille qui continue toujours à la Grande Maison entre Maît' Henley et M'ame Lilly.

Ola, elle était à peine vendue que Maît' Henley, il a donné Man en cadeau de mariage à sa sœur et son beau-frère, Amelia et Wallace Morgan. Man, c'était une bonne couturière. Elle pouvait faire rentrer beaucoup de largent dans leur maison. Moi, j'étais juste un *baby* : je faisais pas partie du lot. Tante Tee, elle dit :

– M'ame Lilly, quand elle a découvert que Maît' Henley, il voulait donner Man, elle a piqué une crise de rage, elle est même devenue toute violette. Sûr qu'elle se tracassait propos ses robes : qu'est-ce qui allait les faire à c't'heure ?

Plus M'ame Lilly enrageait, plus Maît' Henley s'obstinait dans sa décision. Il a dit :

– Vous m'avez obligé à me débarrasser d'Ola, eh bien, maintenant, renoncez à Rissa, c'est votre tour.

Ça a fini par un évanouissement, le genre de crise qui prend M'ame Lilly, chaque fois qu'elle essaye de marquer un point. Mais toutes ces bagarres, elles ont pas pu sauver Man. Elle a quand même dû partir pour Richmond.

Plus tard

La veille du jour où on l'a emmenée, Man m'a confiée à tante Tee et onc' Heb. Chaque fois quand onc' Heb raconte l'histoire, il explique que c'était juste après les Grands Jours — le premier de l'an. Man, elle a dit :

– Clotee est à vous maint'nant. Prenez soin d'elle et si vous pouvez, aimez-la.

Après ça, j'ai revu Man seulement deux fois : une fois quand Wallace et Amelia sont venus à Belmont et l'ont amenée avec eux pour s'occuper de leur *baby* ; et une autre fois, à la Noël, quand elle avait obtenu un laissez-passer. Les deux fois, on a parlé et ri, on a pleuré, on s'est tenues embrassées. Man, elle attendait toujours que je m'ai endormie pour partir. Et quand je me réveillais, Man, elle était partie... juste partie.

Et puis, cinq hivers passés, un cavalier s'est arrêté ici, à Belmont. Il s'a pas écoulé beaucoup de temps avant que Maît' Henley, il entre à la cuisine avec la nouvelle :

– Rissa est morte.

Je me rappelle que sa voix, elle avait l'air plate comme du pain pas levé. Des mots pareils, ça traîne pas, ça vous empoigne tout de suite. Man, elle était partie dans l'autre monde — partie, partie.

Toute la nuit j'ai entendu les gens des Quartiers chanter :

Traverser, traverser la rivière,
Pour entrer dans la cité de Sion.
Traverser, traverser la rivière,
Entrer dans la belle cité de Dieu.

Quand j'ai eu fini mon histoire, Spicy, elle a dit :

– Ton histoire, c'est la mienne – et on a pleuré toutes les deux.

Après cette conversation, je m'ai sentie beaucoup mieux. Spicy et moi, on a ri ensemble, pleuré ensemble, partagé les chagrins l'une de l'autre. On devient des bonnes amies. Ça me plaît.

Lundi

Maît' Henley et Hince sont allés à une course de chevals, là-bas, à Chester, et M'ame Lilly, elle a pas arrêté houspiller William toute la matinée. Pour finir, le garçon, il est sorti de la maison comme une tornade. L'a passé le reste de la matinée dans les écuries avec onc' Heb. Y a pas eu de leçon aujou'd'hui.

Mardi

Pendant la leçon, la M'ame, elle s'a mise à dessiner des chiffres – et je comprends pas les chiffres aussi vite que les lettres et les mots. Mais si mauvaise que je suis, William, il est encore pire.

Mercredi

Y a eu une réunion à Belmont ce soir. Pendant que je servais le café et les douceurs, j'ai surpris un 'tit bout de conversation. Maît' Henley, il soutient un certain Missié Cleophus Tucker qui se présente au congrès. Il projette même d'organiser une grande soirée en son honneur le 4 juillet.

– Tucker, c'est l'homme dont on a besoin à Washington, il a déclaré aux membres du groupe.

Ils ont laissé un journal sur la table, alors pendant que je nettoyais, je l'ai caché dessous ma robe pour le lire plus tard.

Le lendemain

J'ai lu tout ce que j'ai pu dans ce journal, piochant ici et là des mots que je connais. Y a encore tas de mots je connais pas. Mais j'ai découvert une chose : les abolistites sont en fait des A-B-O-L-I-T-I-O-N-N-I-S-T-E-S. Maint'nant, je connais l'ortografe du mot. J'ai aussi découvert que les abolitionnistes vivent dans des endroits appelés la New-York, la Boston et la Philadelphie. Y a encore autre chose, quique chose qu'on appelle un chemin de fer souterrain et que les esclaves montent ladan pour s'ensauver au pays la liberté. Je voudrais vraiment connaître les détails de cette histoire. J'ai écrit tous ces noms sur un morceau de papier. J'attendrai le bon moment. Quand l'occasion se présentera, j'essayerai de les trouver sur le livre de cartes de Maît' Henley.

Vendredi

Pour finir, les pluies se sont arrêtées. Il a pas mouillé de toute la semaine. Maint'nant, la chaleur s'a installée pour de bon. Les moustiques arrêtent pas une seconde de tourner, mais on brûle des chiffons presque chaque nuit pour les tenir éloignés.

Samedi

Maît' Henley et Hince sont allés à une autre course de chevals, et onc' Heb, il a conduit M'ame Lilly et William pour la journée chez une dame du voisinage.

Ça veut dire que je pourrai me glisser dans le bureau Maît' Henley pour regarder le livre de cartes bien tranquille. J'ai trouvé tous les noms j'avais notés sur mon bout de papier — les endroits où les abolitionnistes, ils habitent. Pour commencer, il y avait la Philadelphie, la New-York et la Boston. J'ai aussi trouvé la Richmond et plein d'autres endroits j'avais déjà entendu parler par onc' Heb et Hince. Mais c'est tout ce que je peux comprendre. Tous les traits et les lignes de la carte représentent quique chose, mais je connais pas quoi. J'ai recopié autant de noms que je pouvais en noter sur une feuille de papier, comme ça, quand j'écrirai les noms, je pourrai les ortografier bien comme il faut. Ces mots, ils avaient tous un rapport avec liberté, aussi j'espère de tout mon cœur qu'ensemble, ils vont former une image et me montrer qu'est-ce que c'est, la liberté.

Dimanche

Le fleuve a monté, et les basses terres sont inondées. Rufus a parlé ce matin propos le Déluge. Noé et sa famille se sont réfugiés dans l'Arche, et Dieu en personne a fermé la porte. Noé et tous les animaux, ils étaient en sécurité à l'intérieur. Alors la pluie, elle a commencé à tomber. Et les grandes eaux, elles ont jailli du sol, et toutes les choses, tous les gens, ils ont été noyés, noyés. Tous, sauf Noé, sa famille et les animaux.

Tout le monde a dit : « Amen ». J'ai pas vraiment compris l'histoire. J'arrive pas à m'imaginer le monde entier plongé sous l'eau. C'est comme ça. Quiquefois, je lis des mots par-dessus l'épaule de William, mais je comprends pas toujours ce qu'ils veulent dire.

Après, Rufus, il nous a espliqué que son nouveau 'tit garçon s'appelait Noé, pasqué Dieu a sauvé Noé des eaux du déluge.

– Un jour, il a dit, Dieu va tous nous sauver aussi, mais pas comme Noé, pas au sens physique du terme ; non, il va nous sauver au sens biblistique du terme.

– Amen.

Lundi

J'ai juste une chose à demander aujourd'hui : pourquoi Dieu, il a laissé les moustiques entrer dans l'Arche ?

Dimanche en huit, deuxième dimanche de juin

Toute la semaine on a travaillé dur et toute la semaine, on a attendu le dimanche. La chaleur de juin, elle a l'air plus chaude que la même chaleur en mai. On arrivait pas rester assis tranquilles pendant que Rufus, il racontait l'histoire de David. Quand David avait peu près mon âge, c'était un berger. Il a abattu un géant nommé Goliath avec une fronde et cinq pierres lisses.

– Nous devons être comme David, a dit Rufus. Quand nous nous trouverons face à un géant, faudra pas nous sauver mais affronter le monstre avec le courage de David.

Tout le monde a répondu : « Amen », même moi. Pourtant, je me sens pas de taille à attaquer un géant. Rufus raconte des belles histoires, mais je comprends pas pourquoi ce sont des histoires saintes.

Après, Missy, dès qu'elle a aperçu Hince et son grand sourire, elle a rappliqué. J'aime plus Missy, et je crois que ça n'a rien à voir avec Spicy. J'aime pas comme elle est, c'est tout.

Lundi

C'est le 17 juin 1859. Je connais, pasqué aujourd'hui, j'ai chipé de l'encre dans le bureau de Maît' Henley, et aussi un journal que j'ai trouvé au fond de la corbeille. Parfois, je m'étonne moi-même... Tout ce que j'ose faire pour continuer à apprendre !

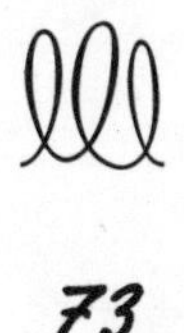

Le samedi suivant

J'écris à la lueur de la pleine lune. Aujourd'hui, y a eu beaucoup d'agitation à la Grande Maison. Maît' Henley et Hince, ils sont rentrés de Fredericksburg. Ils étaient restés partis toute une semaine. Ils ont ramené un étalon très, très beau — Danseur, il s'appelle — un cadeau pour William ! Le maître, il a dit à son fils :

– C'est pour toi.

Tout le monde a bien vu que Maît' Henley, il faisait juste du frou-frou. Le cheval, c'était un vrai cheval de course, et personne, personne — sauf Hince — était capab' de le monter et même de le soigner. Mais pour empêcher M'ame Lilly de faire des histoires et de se plaindre que Belmont devient « un vrai repaire de joueurs », Maît' Henley a prétendu qu'il avait acheté le cheval pour William.

C'était si bon de revoir Hince. Dès qu'il a pu se libérer de son travail à l'écurie, il est passé à la cuisine. Il parlait que de Danseur. L'était tout rempli de son cheval et des centaines de courses il allait gagner avec lui, il a causé et causé sans fin, pouvait pas s'arrêter.

Troisième dimanche de juin

Onc' Heb est parti tôt ce matin — devait emmener la M'ame visiter la plantation Ambrose. Elle sera absente toute la journée. Rufus a parlé propos Jonas. J'aime bien cette histoire, mais je crois que ce serait 'frayant de vivre dans le ventre d'un gros poisson pendant trois jours et trois nuits.

– Nous pouvons nous retrouver à un moment ou un autre dans le ventre d'un gros poisson, a dit Rufus. En ce cas, il faut pas avoir peur. Il faut rester en prière. Rester forts. Notre foi, elle fera tourner l'estomac du poisson, et il sera obligé de nous rendre, de nous libérer. Prions.

Aujourd'hui, j'ai compris les histoires de la Bible que Rufus raconte. En fait, chaque dimanche, quand il célèbre le culte, il raconte deux histoires en une. Ses histoires parlent de l'ancien temps, le temps de la Bible, mais elles parlent aussi de notre temps. Jonas dans le ventre du gros poisson, Daniel et les lions, David et le géant, ils sont comme nous, les esclaves, face aux maîtres. Dieu a délivré Daniel, David et Jonas, et il nous délivrera un jour aussi. Bien sûr, Rufus, il peut pas parler clair et net ou bien Maît' Henley, il nous interdirait de pratiquer le culte. Alors Rufus nous parle d'une autre manière. Au début, je comprenais pas ses histoires, mais maint'nant, je les comprends. Pour la première fois, j'ai dit « Amen » en connaissant pourquoi je disais ça.

Lundi

Je suis allée aux écuries pour faire à Hince une 'tite visite et pour voir de plus près ce Danseur. Le cheval, l'est tout partout aussi beau que Hince l'a dit, ressemble à aucun autre cheval. Mais il faudrait un bon cavalier comme Hince pour le 'privoiser.

– Un gagnant à tous les coups ! s'a écrié Hince d'une voix pleine d'orgueil.

– Et c'est mon cheval, a dit William en entrant dans l'écurie, habillé en cavalier. Selle-le.

William monte à cheval depuis qu'il peut se tenir à califourchon. Mais n'importe qui peut voir que Danseur, il est beaucoup trop cheval pour lui.

– William, a expliqué Hince avec patience, Danseur, l'est pas encore prêt. Vous pouvez pas encore le monter. Laissez-moi d'abord le dresser.

Le garçon a beaucoup pleurniché et ragé, mais pour finir, il a changé d'avis et pris Diamant. Mais y avait toujours dans sa voix quique chose qui disait : « J'ai envie de monter Danseur, et rien ne pourra m'en empêcher. »

Dernière semaine de juin

Y aura plus de leçons à partir le 4 juillet. C'est les vacances.

Je *déteste* les vacances.

Tous les jours, y a quique chose nouveau à faire. Le travail, ça s'arrête jamais. On nettoie la maison, on prépare les repas, on sert les repas, et après les repas, on recommence tout nettoyer. À peine c'est fini, faut déjà recommencer.

Et quand y a des invités, c'est double travail. Faut porter là-haut dolo chaude pour les bains des invités, vider les bains après, et surtout pas oublier nettoyer les pots d'chambre et faire les lits le matin — première lueur du jour. Voilà pourquoi je *déteste* les vacances.

Vendredi 1er juillet

Aujourd'hui, Spicy et moi, on était après frotter et récurer les sols, pour que tout est prêt le 4, mais on avançait comme des chenilles rampantes. Et voilà notre Hince qui saute tout d'un coup de la véranda sur l'appui de fenêtre — nous a presque fait mourir de peur !

– Depuis quand on a un nouveau maître ? a demandé Spicy, coquine.

– Je serais un bien pauvre maître si je vous achetais toutes les deux, a répondu Hince avec cette espression de diable qu'il a souvent. Clotee, t'es pas plus grosse qu'un 'tit poulet, alors je te vendrais pas. Et toi, là-bas, la fille avec les yeux sombres, il a 'jouté en se tournant vers Spicy, je te vendrais pas non plus. Je te garderais juste pour moi tout seul.

Même si Spicy, elle avait la tête baissée, je sentais qu'elle était heureuse.

– Tu aimes bien mon frère-ami, hein ? j'ai demandé Spicy après que Hince, il est parti.

– Il est pas si mal, ce garçon, elle a répondu.

Et elle s'a retournée pour frotter ses sols. Cette fois, elle avançait plus vite et même, elle fredonnait une 'tite chanson.

2 juillet

Ce matin, Hince a apporté Spicy une 'tite poignée de fleurs. Jamais je l'avais encore vu faire une chose comme ça.

– Pour toi ! a lancé Hince depuis la porte la cuisine en lui fourrant juste les fleurs sous le nez — et avant même que Spicy, elle a pu répondre, il s'était déjà ensauvé, tête baissée.

Envolé, notre Hince ! Il a manqué le grand sourire de Spicy. S'il avait vu sa figure, elle était tout illuminée !

Tante Tee, elle a juste escoué la tête, versé dolo dans une tasse et tendu la tasse à Spicy pour ses fleurs. Toute la journée, on l'a taquinée, tante Tee et moi, propos son galant.

4 juillet

Le repos du dimanche, c'est annulé pour tout le monde. Trop de choses à faire. Je suis même pas sûre tout sera prêt pour ce soir.

Si, si fatiguée ! Y a le travail de tous les jours et tas de travail en plus. Je connais pas quel jour on est. Hier, j'ai resté debout toute la nuit à travailler à la cuisine avec tante Tee. Aggie et Wook, elles étaient venues aider. Missy, elle gardait le bébé, et quand il dormait, elle donnait un coup d'main comme nous autres. J'ai fait toutes les commissions — couru de la chambre froide au fumoir, puis à la Grande Maison, puis au jardin potager, puis à la grange, et la même chose dans l'autre sens. « Va chercher ci » et « Va chercher ça. » Il est tard, très tard. Je suis tout juste bonne à me glisser dans un trou et à dormir, dormir. Mais je peux pas. Maint'nant, faut commencer à nettoyer, c'est déjà l'heure.

6 juillet

Petit à petit, tout doux, la vie revient à la normale. Ça va me prendre des jours et des jours pour écrire propos tout ce qui s'a passé le 4 juillet.

Les invités, ils ont commencé arriver à Belmont le lundi matin, tôt. Clarissa, la fille de M'ame Lilly, et sa famille étaient les premiers.

Le mari Clarissa, c'est Mr. Richard Davies, un avocat avec une importante société à la ville. Lui, il est sérieux sérieux, et elle, c'est un 'tit paquet de nerfs. Je l'aime bien pourtant. Peut-êt' pasqué elle est comme un lapin effrayé, toujours prêt à s'ensauver pour se mettre à l'abri. Pas du tout, du tout comme sa Man. Mais j'ai pas une très bonne opinion des deux fils de Clarissa, Richard Junior et Wibur — peu près le même âge que William. Ils sont tout le temps après inventer des nouvelles bêtises. Chaque fois quand William est avec eux, ça signifie E.N.N.U.I.S. Ennuis.

À peine Richard Junior et Wibur, ils avaient posé le premier pied à terre, William est sorti à bride abattue de la maison, comme si elle été en feu. Alors les trois les garçons, ils ont commencé à courir travers toute la maison, crier, hurler, passer par la porte service, sauter par-dessus les haies, piétiner les jolis massifs de fleurs. Leur Man, elle suivait la scène comme si c'était aussi naturel que le soleil levant. Personne attend autre chose de ces 'tits bougres, alors ils en font qu'à leur tête.

Au milieu de la matinée du 4 juillet, une foule d'invités était déjà arrivée. Maît' Henley 'sayait d'être un vrai gentleman ; il saluait les gens, les accueillait, leur serrait la main et tout. Mais il peut bien faire tous ses efforts pour avoir l'air d'un vrai gentleman, on le considère toujours comme un joueur qui a eu la chance marier une femme très, très riche.

M'ame Lilly, elle, papillonnait autour les invités comme une 'tite mouche dans cette méchante robe verte. Elle en accueillait un, juste le temps lui dire deux ou trois mots, avant de passer au suivant. À des moments pareils, c'est très pénible de la voir se comporter avec nous comme ce matin — a pas 'rêté nous balancer des gifles ou nous crier dessus jusqu'à quand les veines de son cou, elles gonflent. Ma figure, elle me cuit encore là où M'ame Lilly, elle m'a giflée pour me punir d'avancer comme une tortue. Avancer comme une tortue ! J'étais si beaucoup fatiguée, j'étais déjà bien contente de pouvoir marcher.

Tout le monde s'a empiffré comme des chiens. Ils ont englouti des marmites entières de jambon fumé, fèves gombos, légumes frais, poulet à l'étouffée, sauce, riz, et toutes sortes gâteaux de maïs et tourtes. Bien sûr, personne a pensé on avait tous travaillé dur, très dur pour préparer tout ça. Ils ont fait que manger et voilà.

Les invités étaient encore en train de digérer quand Maît' Henley, il a eu la fâcheuse idée les convoquer pour écouter Tucker, le candidat pour qui il voudrait que les gens votent. Le discours de Mr. Tucker, c'était rempli de mots à craquer, mais les gens, ils ont été assez aimables pour faire semblant d'écouter. Moi, je dormais debout ou presque quand, tout d'un coup, j'ai entendu le mot « abolitionniste ». Alors je m'ai mise à écouter de toutes mes oreilles.

Mr. Tucker, il a déclaré :

– Pour commencer, je suis fatigué d'entendre ces abolitionnistes me dire comment je dois traiter mes esclaves. Je suis fatigué de ces intrigants hors-la-loi qui s'introduisent dans nos communautés pour enlever nos nègres et les transporter comme par magie en chemin de fer, ce prétendu chemin de fer souterrain.

J'étais heureuse connaître ces mots, mais ce qu'ils veulent dire exactement, je comprends toujours pas.

7 juillet

Je reprends là où je m'ai arrêtée hier... Danseur, monté par Hince, va courir contre un cheval d'Atlanta, Coup de Vent. S'appelle Coup de Vent, pasqué on dit que c'est le cheval plus rapide du pays sur ses quatre jambes. Peu près tout le monde a parié sur lui.

J'ai surpris Maît' Henley à chuchoter à l'oreille de Hince :

– Arrange-toi pour gagner, mon garçon, sinon...

Hince, il a ri de son 'tit rire effronté avant d'éperonner Danseur et de foncer direction le champ.

– Allez, Hince ! j'ai crié toutes forces, connaissant bien que si perdait, il aurait affaire à Maît' Henley.

Tous les gens des Quartiers, Missy compris, étaient venus le soutenir. Tante Tee, elle hurlait même si fort qu'elle a complètement perdu la voix. Mais Spicy nous a tous surpassés — personne criait aussi fort ! J'ai pas été la seule à remarquer ça. Missy, elle lui a lancé un regard féroce.

Hince, il avait pas besoin nos hourras et nos vivats, pasqué il a gagné avec beaucoup d'avance. Maît' Henley, il s'a conduit très mal, il a tellement fait le fanfaron et tout que ses invités ont commencé à trouver des excuses pour partir.

Dans le lointain, j'ai entendu à l'instant un bruit de train. Me demande s'il roulait sur le chemin de fer souterrain. Je voyais dans ma tête le train en route pour la Philadelphie, la New-York et la Boston. L'image m'a fait sourire. Un jour, je prendrai ce train.

10 juillet

Clarissa et les garçons sont ici depuis le 4. Ils s'en vont aujourd'hui. Personne sera fâché que ces bougres-là, ils débarrassent le plancher. Pendant que je servais William et ses neveux le 'tit-déjeuner, j'ai entendu William se vanter de monter Danseur. Richard, il a répliqué :

– Quand tu arriveras à cheval devant notre maison de Richmond, alors seulement on voudra bien croire que Danseur, c'est ton cheval.

J'espère que William, il est pas assez stupide pour s'en aller tout seul à Richmond sur le dos de Danseur. Peut-êt' je devrais le dire à M'ame Lilly, comme ça elle pourra lui en parler ?

Deuxième lundi de juillet

Tous les invités sont partis maint'nant. On a passé toute la matinée à ranger les chambres des invités. Il fait chaud chaud, mais je dois quand même enlever les mauvaises herbes du potager. Le chapeau de Hince, c'est pour moi d'un grand secours. Je le retire presque jamais.

Une bête était en train de dévorer mes plants de tomates. Onc' Heb dit : faut mettre du jus tabac sur les feuilles. Je l'avais déjà vu utiliser ça pour ses roses. Alors j'ai détaché un 'tit morceau de tabac et je l'ai chiqué pour extraire le jus. Seigneur, j'en ai avalé un peu ! Ma tête, elle a commencé tourner, tourner, et mon estomac, il a rendu tout ce que j'avais mangé pour le 'tit-déjeuner — deux jours de ça !

De toute ma vie, j'ai jamais été si malade. J'ai même pensé une minute : « Clotee, tu vas mourir ». Comment on peut chiquer le tabac ? Je le ferai jamais plus. Les 'sticots, ils peuvent bien avoir les tomates — ça m'est égal !

Mardi

J'ai vu William dans les écuries, il parlait aux lads. J'ai pensé que je ferais peut-êt' mieux de rapporter à M'ame Lilly tout ce que j'ai entendu.

– Je crois que William, il va 'sayer d'aller jusqu'à Richmond sur le dos de Danseur, j'ai dit.

– Ne sois pas stupide, Clotee. Jamais William ne tenterait une aventure pareille, il sait que c'est très dangereux.

M'ame Lilly, elle m'a demandé de lui brosser les cheveux avant de me renvoyer. Elle a peut-êt' raison. Mais, Dieu sait pourquoi, je le crois pas.

Jeudi matin, très tôt

Toute la journée, on a astiqué largenterie. M'ame Lilly, elle est venue inspecter chaque plateau, chaque pichet, chaque coupe, chaque bougeoir. Elle a trouvé une toute 'tite tache sur un plateau j'avais nettoyé, et elle m'a giflée si fort j'ai vu plein d'étoiles. Elle me frappe pas souvent, mais chaque fois que ça m'arrive, je 'saye de faire comme Spicy et de pas pleurer devant elle. M'ame Lilly, elle a dit :

– Spicy a une mauvaise influence sur toi — et elle a flanqué une paire de calottes à Spicy tout pareil.

La M'ame, elle est terrible, pasqué elle connaît qu'on peut pas répondre à ses coups. Si l'un de nous autre osait lui balancer une belle raclée en pleine figure, je parie qu'elle aurait pas la main si leste. Faut je fais très attention à pas me mettre des idées comme ça dans la tête. Tante Tee, elle dit que mieux vaut pas s'imaginer qu'on peut se défendre, sinon un jour ou l'autre on le fera, on allongera un coup au maître ou à la maîtresse. Et ça, ça veut dire une mort certaine !

Le lendemain soir

Ce soir, au dîner, Spicy et moi, on servait le pain de maïs tout chaud et on versait dolo pour les Henley. On est juste entrées au moment où Maît' Henley et M'ame Lilly, ils se disputaient propos William. La question, c'était : est-ce que le garçon, il aurait ou non un... je connais pas quoi — ça s'appelait, je crois, un pircepteur ? Maît' Henley, il disait non, M'ame Lilly, elle voulait pas céder.

Pendant que la bataille de mots entre les deux les maîtres, elle chauffait dur, Spicy, elle débarrassait les bols de soupe et moi, je servais le poulet frit. Pour finir, c'est M'ame Lilly qui a gagné la bataille.

Après ça, Spicy, tante Tee et moi, on a pris notre souper toutes les trois. Chaque fois quand tante Tee, elle fait frire le poulet pour les Henley, elle fait aussi frire le cou, le gésier, le foie et même le croupion qui passe par-dessus la palissade, et elle cuisine pour nous une espèce de soupe brune épaisse. Avec du pain de maïs et du miel, c'est un bon manger.

Tante Tee, elle était pliée en deux, tellement Spicy et moi, on l'a fait rire en se moquant de M'ame Lilly. Spicy, elle a crié :

– Ohhhh, mon fils sera le premier Monroe à pas entrer à l'école d'Overton, avant de tomber évanouie comme la M'ame.

C'était imité parfait.

Moi, je jouais le Maître. J'ai dit :

– J'ai pris ma décision — William n'aura pas de pircepteur.

Puis j'ai roté et fait semblant de lâcher un pet.

– Les filles, vous êtes dégoûtantes, a fait remarquer tante Tee en suspendant son torchon et en soufflant les bougies de la cuisine.

– Ça veut dire quoi, pircepteur ? j'ai demandé en m'allongeant sur ma paillasse, juste à côté Spicy. Est-ce que quiqu'un ici connaît ?

J'avais attendu le bon moment pour poser la question. Mais personne connaissait la réponse. Je vais ajouter « pircepteur » à ma liste. Il a peut-êt' quique chose à voir, ce mot, avec les études de William. Est-ce que ça voudra dire que j'aurai plus l'occasion d'apprendre ? Je me demande.

Un jour plus tard

Spicy et moi, on a passé toute la soirée à travailler au potager avec onc' Heb. On l'a aidé à attacher des bandes de vieux chiffons à une mesure de corde pour faire sauver les criquets. Il nous a raconté des histoires propos un homme-araignée qui pouvait parler. L'a espliqué que sa Man lui racontait déjà ces vieilles histoires.

Sa Man, elle venait d'Afrique. Un jour, les Blancs, ils ont attaqué le village, jeté des filets sur elle et des autres filles. Après, ils les ont mises dans un bateau pour les amener de l'autre côté de la grande, grande mer. Onc' Heb, il a 'jouté :

– C'est comme ça que tout notre peuple, il est arrivé ici. On est venu d'Afrique sur des bateaux de Blancs.

J'ai entendu une fois tante Tee parler de la femme d'Afrique appelée Belle qui lui a tout appris propos la médecine des plantes et les naccouchements. J'ai jamais vu personne qui était africain de naissance. J'aimerais bien pourtant.

Lundi 18 juillet 1859

J'ai trouvé ce que c'est, un *pircepteur*. C'est un P-R-É-C-E-P-T-E-U-R. M'ame Lilly, elle a écrit le mot pour William. Ça veut dire professeur. Le professeur Ely Harms, a espliqué M'ame Lilly pendant la leçon. Il arrivera en août – vient d'un endroit qui s'appelle Washington, D. C. En écoutant les leçons, j'ai appris c'est là que le président du pays habite, dans une grande maison tout blanc. J'ai dans l'idée que ce Mr. Harms, il connaît peut-êt' le président.

M'ame Lilly, elle dit que le *précepteur*, il habitera ici, à la Grande Maison, et enseigner William, ce sera son seul travail. J'espère qu'on va encore me demander de les éventer pendant les leçons, comme ça je pourrai continuer à apprendre.

Mercredi

Ces jours passés, la M'ame, elle nous a fait nettoyer fond en comble sa chambre personnelle. Spicy et moi, on s'a affairées des heures et des heures : frotter le plancher, battre les tapis, aérer les matelas, rembourrer les oreillers, etcitera, etcitera.

À la fin la journée, la M'ame, elle m'a fait appeler.

– Tu sais que ta Man et moi, nous étions les meilleures amies du monde ? elle a dit. Tu es intelligente comme elle.

– Alors pourquoi vous l'avez laissée partir ?

Je connais pas ce qui m'a pris. Tante Tee, elle a raison. Si on pense toujours à la même chose, on finit par faire cette chose. Combien de fois j'ai pas déjà eu envie poser cette question à M'ame Lilly ! Et voilà, ça y est, j'ai osé. En fait, les mots, c'est juste sorti de ma bouche comme des grains de maïs qui éclatent. C'est un miracle qu'elle m'a pas giflée. Au lieu de ça, elle m'a juste prévenue :

– Attention à toi, Clotee. Je ne veux pas d'insolence ici.

Puis elle a étudié ma figure. J'étais sûre, sûre que mes yeux, ils s'avaient changé en fenêtres et que M'ame Lilly, elle pouvait voir ladan toutes les lettres et tous les mots qui se bousculent dans mon cerveau. Alors j'ai fermé les yeux, trop effrayée pour bouger.

– Oui. Tu es différente des autres. Difficile de savoir ce qui se passe dans ta petite tête, Clotee. Ça m'intrigue.

M'ame Lilly, elle fait plus peur qu'un cauchemar.

Plus tard

Découvert que M'ame Lilly, elle a promis de donner à Spicy le fameux mouchoir blanc avec des pensées jaunes et violettes chaque coin, si elle rapportait tout ce que je fais.

Spicy, elle a dit :

– Je suis pas une rapporteuse. En plus, c'est le mouchoir le plus laid que j'ai jamais vu !

La M'ame, elle cherche donc à me coincer. J'ai confiance en Spicy — elle parlera pas. Mais M'ame Lilly, elle a peut-êt' tenté quelqu'un d'autre avec son mouchoir — et qui ? Faut je fais très, très attention. Y a danger. J'ai écrit à l'instant D-A-N-G-E-R, et je vois la figure de M'ame Lilly.

Jeudi

Au moins cette M'ame Lilly, elle m'apprend des choses. Aujourd'hui, j'ai appris qu'y a pas un mot comme « zoizo ». C'est « *oiseau* ». Je connaissais pas cet oiseau. Maintenant, je connais.

Quatrième dimanche de juillet

Un grand malheur est arrivé. Je me doutais. J'avais deviné. William, il est parti tout seul à cheval là-bas, à Richmond – et bien sûr, juste pour faire du frou-frou, il a pris Danseur.

L'histoire a commencé dès que Hince et Maît' Henley, ils ont quitté la maison pour se rendre à une course de chevals. William, il est allé trouver onc' Heb et lui a raconté que son Pa avait dit il pouvait monter Danseur. J'avais prévenu M'ame Lilly mais elle m'a pas écoutée. Alors onc' Heb, il a sellé Danseur. Dernière fois que quiqu'un a aperçu le garçon, il sortait comme un trait de l'écurie pour descendre la grande allée. J'ai un très mauvais pressentiment : il va rien sortir de bon de cette histoire, pour personne.

Le lendemain matin, très tôt

M'ame Lilly, elle a envoyé Rufus avec d'autres cavaliers à la poursuite de William, mais dans tout le pays y a pas un seul cheval capab' de rattraper Danseur. Tout ce qu'on pouvait faire, c'était attendre. Bientôt, on a vu le cheval remonter l'allée au trot en traînant derrière lui le corps William comme un sac de chiffons. Le garçon, il avait fait une chute — sûr —, mais son pied était resté coincé dans l'étrier.

Après, tout ce qui s'a passé, c'est embrouillé. Quelqu'un est allé chercher le Docteur Lamb, mais il lui a fallu plus de deux heures pour arriver à Belmont. Entre-temps, tante Tee, elle avait fait tout ce qu'elle pouvait pour aider. Spicy et moi, on se tenait dans l'obscurité de la chambre, prêtes à aller chercher tout ce que le docteur pouvait avoir besoin.

J'ai entendu M'ame Lilly demander :

– Vivra-t-il ?

J'ai prié pour que William, il vit. J'espère que Dieu me pardonnera mon égoïsme. Je priais pour William juste pasqué je connaissais que si son fils mourait, Maît' Henley, il nous rendrait la vie odieuse.

– Oh, oui, a répondu le docteur en tapotant le bras de M'ame Lilly. Il vivra. William est un petit bonhomme très résistant.

Je m'ai sentie mieux. Les épaules de M'ame Lilly, elles se sont détendues. Elle m'a regardé, et, juste une seconde, je l'ai regardée droit dans les yeux. J'ai vite baissé les yeux pasqué c'est pas permis de regarder en face Missié et M'ame. Mais pendant ce 'tit éclair de seconde, j'ai vu quique chose. M'ame Lilly, elle se rappelait que je l'avais avertie propos cette histoire de Danseur et qu'elle m'avait pas écoutée. La M'ame, elle pensait à ça, je l'ai bien vu.

– Mais..., a 'jouté le Dr. Lamb.

Tous, on écoutait ce qui allait venir après ce « mais ». La tristesse assombrissait la figure le docteur.

– Mais..., il a continué, je ne suis pas sûr que William remarchera un jour.

M'ame Lilly, elle s'a évanouie — pour de vrai, cette fois. Seigneur, ça va être vraiment terrible quand Maît' Henley, il rentrera ! J'arrive plus à penser à autre chose.

Un jour plus tard, lundi 25 juillet 1859

Quand Maît' Henley il a appris l'accident de son fils, il est allé tout droit aux écuries et il a fusillé Danseur – pan ! une balle dans la tête —, comme si d'un coup, ça allait remettre William d'aplomb. Hince, il a pleuré presque toute la nuit sur le cheval, on l'a tous entendu.

Après ça, Maître, il est parti chercher onc' Heb. Il s'était mis dans la tête que c'était lui, le responsable de l'accident. Alors, il est venu le tuer — juste comme le cheval. Spicy et moi, on a appris qu'à des moments comme ça, mieux vaut rester à l'écart. Mais on a tout observé depuis la soupente au-dessus la cuisine — accrochées l'une à l'autre, tremblant de tout notre corps et 'sayant de pas crier.

Pauvre onc' Heb, il a bien 'sayé d'expliquer ce qui s'avait passé exactement, Maît' Henley l'a pas écouté — s'a mis à le battre avec le canon de son fusil, à le frapper tout partout sur la tête. J'entendais les coups, des coups si violents qu'ils recouvraient les hurlements de tante Tee. Onc' Heb, l'est tombé par terre. Maît' Henley lui a donné un coup de pied, puis il a pointé son fusil contre sa tempe.

Tante Tee, elle a supplié :

– Si vous plaît, ne le tuez pas !

Dieu sait pourquoi, Maître, il a pas appuyé sur la gâchette. Mais il aurait aussi bien pu le faire, pasqué onc' Heb, il a mouru dans les bras de tante Tee peu 'près une heure plus tard. Son grand cœur s'a juste arrêté.

Plus tard

Quand on lui a dit que onc' Heb, il était mort, Maît' Henley est venu voir tante Tee à la cuisine. Il est arrivé en disant :

– J'ai perdu mon sang-froid. Je voulais pas tuer le vieil homme, pas vraiment. Tu dois me croire.

Tante Tee, elle a pas ouvert la bouche. Alors, Maître, il a élevé une voix très colère :

– Mon garçon est là-haut, incapable de marcher, parce que ce vieux homme l'a laissé monter Danseur. Il est responsable. Il aurait dû être plus avisé.

Responsable, onc' Heb ? Maît' Henley, ça lui est égal, la vérité vraie. Pour lui, la vérité, c'est juste ce qui l'arrange. En réalité, celui qui a amené Danseur à Belmont et l'a donné à William, c'est Maît' Henley. Les maîtres, ils peuvent transformer la vérité à leur guise. Mais Maît' Henley, il me fera jamais croire que je me trompe. Ce que je connais, c'est pas autrement.

– Et à présent, écoute-moi bien, a dit Maît' Henley en pointant le doigt direction la figure de tante Tee. Je ne veux pas que tu me tiennes pour responsable de ce qui est arrivé à onc' Heb, tu m'entends ? Ce vieil homme est mort, c'est tout. Je l'ai pas tué.

Tante Tee, elle a jeté un long regard — dur, très dur — à son maître, comme si elle le regardait pour la première fois.

– Pas besoin vous faire souci, elle a répondu, je vous 'poisonnerai pas. Je suis pas vile et mauvaise à ce point.

Rufus, il nous dit toujours de haïr le péché et pas le pécheur. Mais je déteste si beaucoup l'esclavage que c'est terriblement dur quiquefois de pas détester les maîtres, les hommes comme Maît' Henley.

Mardi, au lever du soleil

On a enterré onc' Heb ce matin, quand c'était pas encore le petit jour. Avant d'aller travailler aux champs ou à la cuisine, on a tous pris un moment pour dire adieu onc' Heb. Il était pour moi comme un affectueux grand-père.

Déjà, hier soir, les femmes des Quartiers étaient venues aider à faire la dernière toilette d'onc' Heb, pendant que les hommes creusaient la tombe au cimetière. Les gens des Quartiers, ils étaient tous là. On s'est assis, on a chanté, on a prié. Rufus, il a parlé propos la paix de la mort : finies, les souffrances et les peines, finie, la douleur. J'ai éventé le corps d'onc' Heb — en haut, en bas, en haut, en bas — pour écarter les mouches, puis je l'ai touché, j'ai osé. J'avais encore jamais touché un mort et je croyais vraiment ce serait 'frayant, mais je m'ai trompée, c'était pas 'frayant. Pauvre onc' Heb. Il était dur et froid au toucher. Ça lui ressemblait pas, c'était pas lui. Le vrai onc' Heb — celui d'avant — s'avait envolé dans les cieux.

Sitôt que tante Tee, elle a dit : je suis prête, on a enveloppé onc' Heb dans un beau drap blanc tout propre, on l'a posé dans une charrette et on l'a porté au cimetière de la plantation où tous les gens de la famille M'ame Lilly, ils sont enterrés — son père, sa mère, son grand-père. M'ame Lilly, elle est venue, elle a eu le toupet de pleurer. Mais Maît' Henley, il a même pas pris la peine se déranger. Comment ils peuvent encore penser, aux Quartiers, que ceux de la cuisine, ils sont chanceux de vivre à côté de gens comme ça ?

Un seul chant, très doux, on a chanté :

Tranquille près de la rivière
À attendre mon sauveur,
Attendre qu'il vienne me chercher.
Oh, rentrer au bercail, au bercail
Pour être avec Dieu.

Rufus a prononcé un 'tit discours affectueux propos onc' Heb. L'a dit comme il était bon et comment il avait vécu. Je sentais des larmes brûlantes couler derrière mes paupières en pensant que onc' Heb, il serait encore vivant si Maît' Henley l'avait pas tué — tout le temps, j'ai pensé ça.

Tante Tee, elle regardait juste dans le vide ; elle était plongée dans ses souvenirs et elle pleurait pas, l'a pas pleuré une seule fois. Mais elle a dû verser des larmes dans le secret de son cœur, sûr ! Hince, il a pris ça mal, très mal. Pour lui aussi — pour nous tous — onc' Heb, c'était comme un grand-père. Spicy, elle a fait tout ce qu'elle a pu pour nous consoler, même si elle avait son propre chagrin à porter.

Tout le monde répétait que onc' Heb, il était enfin libre. Mais pourquoi faudrait mourir pour être libre ? Pouquoi on pourrait pas être libre et en vie ?

Mercredi

Aujour'd'hui, tante Tee, elle a pas préparé du poulet frit et des pommes mousseline comme tous les mercredis. Si loin que je peux me souvenir, c'est bien la première fois. J'ai pas été la seule personne à le remarquer.

Jeudi

Tant de choses se sont passées ces derniers jours — j'essaye rassembler tous les morceaux. Pas le temps de pleurer, notre travail, ça s'arrête jamais. Maît' Henley, il veut ses repas servis à l'heure pile, et la M'ame, elle exige mille choses : son lit fait, sa maison nettoyée à fond, dolo pour ses bains, et ci et ça, et encore et encore et encore — y a pas de fin au travail qu'elle médite de nous donner.

Tante Tee, elle tremble de douleur, elle se languit tellement de onc' Heb. Alors elle chante beaucoup.

Aide-moi, aide-moi, aide-moi, Jésus.
Aide-moi, aide-moi, aide-moi, Seigneur.
Père, tu connais que je suis pas capab'
Grimper tout seul cette grande montagne.

Aide-moi, aide-moi, aide-moi, Jésus.
Aide-moi, aide-moi, aide-moi, Seigneur.

Personne devrait vivre en esclavage. Si tout le monde, même un esclave, peut être abolitionniste, alors je veux être abolitionniste, pasqué je déteste l'esclavage et je veux plus qu'il existe.

Vendredi

Chaque fois quand j'écrirai le mot F-L-E-U-R, je penserai au vieux homme si bon qui faisait pousser des si belles roses et racontait les meilleures histoires.

Ce soir, après le dîner, Spicy et moi, on est allées se promener au milieu des massifs de fleurs d'onc' Heb, qui descendent jusqu'à la rivière. Les tournesols avaient la tête tournée vers le soleil couchant, et je m'ai rappelée que onc' Heb, il m'appelait sa 'tite fille-tournesol — disait que ma figure, elle était toute lumineuse, comme si elle regardait toujours le soleil. J'ai serré dans ma main 'Tit Bout, la poupée de mon anniversaire que j'avais emmenée dans ma poche de tablier. J'aime sentir le bois lisse sous mes doigts. Ça ferait plaisir à onc' Heb. J'ai pas pu m'empêcher de sourire en pensant à toutes ces choses. Spicy, elle a trouvé un trèfle à quatre feuilles. Ça porte bonheur, il paraît. Ici, à Belmont, on en aurait besoin, sûr !

Samedi

Spicy et moi, on a monté dolo pour le bain dans la chambre M'ame Lilly. Elle a renvoyé Spicy mais à moi, elle a demandé de rester pour l'éventer pendant un 'tit bout d'temps. J'ai obéi.

– Clotee, il va y avoir des grands changements ici. Mais je vais m'occuper de toi. Ne t'inquiète pas. Il faut juste me promettre de pas dire un mot de notre conversation propos William. Je n'ai jamais imaginé qu'il ferait un jour une chose aussi stupide. STUPIDE !

Je crois que M'ame Lilly, elle se tracasse beaucoup propos quique chose : si le Maître découvrait qu'elle était au courant du projet insensé de William et qu'elle avait rien fait pour empêcher son fils de partir sur le dos de Danseur, il serait fou de rage contre elle. Alors, maint'nant, elle 'saye me clouer le bec avec des 'tites faveurs. Qu'est-ce qui va changer ici ? Et comment M'ame Lilly, elle va m'aider ? Avec toutes ces questions, j'ai l'estomac retourné.

Deux semaines plus tard

J'ai vu le calendrier dans le bureau Maît' Henley. On est déjà en août. Le 10 août 1859. Tant de choses se sont passées depuis la dernière fois j'ai écrit dans mon journal. Je connaissais que quique chose se préparait, mais je connaissais pas quoi. Maît' Henley, il a tout chamboulé, tout. On reconnaît plus rien.

Première chose, il a chassé tante Tee de la cuisine pour l'envoyer s'occuper des *babies* aux Quartiers. Il dit qu'il peut plus lui faire confiance pour la nourriture et se méfie des 'poisonnements, cause onc' Heb et tout ce qui est arrivé. Pour envenimer encore le mal, Maît' Henley, il a envoyé chercher Eva Mae aux Quartiers et il en a fait sa nouvelle cuisinière.

Et c'est pas tout. Missy, eh bien, elle a pris la place de Spicy, pasqué Spicy, on l'a expédiée aux champs ! Et moi, je dois rester à la cuisine et faire tout ce que je faisais déjà. Maint'nant, je comprends ce que M'ame Lilly voulait dire quand elle prétendait s'occuper de moi. Eh bien, j'aimerais autant partir aux Quartiers avec tante Tee que rester près de M'ame Lilly !

Spicy, elle trouve pas chagrinant d'aller travailler aux champs. Mais elle dit qu'elle regrette déjà de plus pouvoir parler avec moi des soirées entières. Moi aussi, toutes ces heures passées à parler avec elle sous les étoiles, ça me manquera. Et quand Spicy, elle trébuche et tombe et qu'après, on rit toutes les deux, ça me manquera. Sans elle, les choses seront plus pareilles, là-haut, à la Grande Maison.

C'est propos tante Tee que je me tracasse beaucoup. Voilà les remerciements qu'elle reçoit après toutes ces années de service. On peut bien travailler dur, très dur pour les Maîtres pendant des années et des années, ils s'en moquent. Les esclaves, c'est leur propriété, alors, ils peuvent en faire ce qu'ils veulent. Dans la vie d'esclave, le plus pire, c'est encore ça : subir tout ce qui vous arrive sans jamais avoir votre mot à dire.

Troisième lundi d'août

Tout le monde connaît que Eva Mae, c'est pas une très bonne cuisinière. Tout cas, elle arrive pas à la cheville de tante Tee. Mais ça lui plaît de s'imaginer qu'elle est la reine de la cuisine.

M'ame Lilly, elle a pas voulu laisser tante Tee emporter aux Quartiers le vieux lit en fer où elle a dormi tant d'années avec onc' Heb. Ça m'a fait mal, très mal. Ce lit, c'était cadeau : le grand-père de M'ame Lilly l'avait donné à onc' Heb pour le remercier de ses années de service. Et maint'nant, M'ame Lilly, elle l'a donné à Eva Mae et Missy pour dormir ladan. À son âge, tante Tee, elle devrait pas dormir sur une paillasse, c'est pas juste. Quand nous, les abolitionnistes, on mettra fin à l'esclavage, tout le monde aura un lit pour dormir ladan. Me demande si un jour, je vais finir par rencontrer un vrai abolitionniste.

Le lendemain

Un boghei tiré par un cheval qui galopait toute allure a passé la grille d'honneur. Chaque fois quand j'écrirai le mot É-T-R-A-N-G-E, je verrai Mr. Ely Harms rebondir de-ci, de-là dans ce boghei en remontant la grande allée. Le précepteur est arrivé, et j'attends avec impatience de voir sa figure.

Encore lundi

Le précepteur est déjà ici depuis une semaine passée. C'est un 'tit homme avec une figure criblée de taches de son et des cheveux roux tout 'bouriffés qui dépassent de son chapeau. Il a l'air d'être fait de pièces et de morceaux pris à droite, à gauche, chez l'un ou chez l'autre. Ses jambes et ses bras semblent un peu trop longs et trop minces par rapport au reste, et il a un grand trou au milieu des dents. Je pourrais pas dire son âge, mais il a des yeux très jeunes qui vous regardent par-dessus un lorgnon tout brouillasseux fixé sur le bout d'son nez. Je lui donnerais peut-êt' quique chose comme vingt-cinq ans, à une ou deux années près.

M'ame Lilly, elle était très agitée. Elle a pas 'rêté de se répandre en excuses, répétant qu'elle était désolée, vraiment désolée, pasqué personne — personne — avait dit à Mr. Harms de pas venir à cause de la mauvaise chute William. Mr. Harms s'a mis à parler toute allure avec toutes sortes de mots — très, très compliqués. Et à la fin du souper, il avait décidé Maît' Henley et M'ame Lilly à le garder ici, à Belmont.

J'étais contente, pasqué si William, il arrête d'étudier, alors moi aussi, je dois arrêter. Mais y a un souci ! quelle sorte de précepteur Missié Harms, il peut bien être ?

Le même jour, après le souper

À la cuisine, c'est un beau tohu-bohu ! Eva Mae, elle a sa propre façon de faire, ses propres recettes. Chaque fois quand je 'saye lui montrer quique chose, elle dit :

– Ferme ton 'tit bec. La maîtresse de la cuisine, maint'nant, c'est moi.

Alors, j'ai décidé de la laisser, de faire juste ce que j'ai à faire et surtout de pas ouvrir la bouche, comme elle a demandé.

Une semaine plus tard

Le Dr. Lamb est passé. L'a déclaré que William, il se portait assez bien pour commencer à étudier à peu près une heure par jour. Ce sera excellent pour le garçon, il a ajouté. La première leçon avec Mr. Harms, c'était aujourd'hui, dans la chambre de William. J'étais debout, à ma place, prête à éventer.

– Qu'est-ce que tu fais là ? a demandé Mr. Harms en me regardant par-dessus son lorgnon.

William, il a expliqué que j'étais une éventeuse. Mr. Harms, il a répondu qu'ils avaient pas besoin d'une éventeuse. Alors le cœur m'a manqué, il serait tombé dans mes souliers si j'en avais eu. Mon instruction, elle se serait arrêtée là, si William s'avait pas mis à gémir propos la chaleur. Mr. Harms m'a permis de rester. J'ai jamais pensé qu'un jour, je serais contente d'entendre William gémir.

Deux ou trois jours plus tard

Après le dernier repas, j'ai descendu aux Quartiers et je suis passée voir tante Tee à sa case, histoire de causer avec elle et avec Spicy. Elle tient le coup, même si le mauvais sort, il s'acharne sur elle — d'abord, la mort d'onc' Heb, puis la perte de son travail.

Elles vivent toutes les deux dans une case vraiment minuscule avec un sol en terre battue et pas de fenêtre, juste une porte qui ferme pas bien. Mais tout le monde, aux Quartiers, veille sur tante Tee. Les cinq années passées, elle a pris soin des gens, de leurs enfants, et maint'nant, ils la remboursent en affection et en gentillesse. Ils ont pas grand-chose, mais ils partagent de bon cœur le peu qu'ils ont.

Je leur avais apporté un ou deux morceaux de pain rassis et quelques vieux rogatons j'avais chapardés à la cuisine pour compléter leur repas. Pendant qu'elles mangeaient, je leur ai raconté comment Eva Mae et Missy, elles avaient changé. Sont comme les deux doigts de la main avec M'ame Lilly, lui souriant par-ci, lui souriant par-là pour être dans ses petits papiers. Avant de partir, j'ai aussi raconté à tante Tee que j'avais averti M'ame Lilly propos William et qu'elle m'avait pas écoutée. J'ai dit :

– Elle a peur que je répète tout à Maît' Henley.

Tante Tee, elle pensait tout comme moi. Elle m'a serrée sur son cœur.

– Fais attention, mon enfant, elle a répliqué. M'ame Lilly, elle acceptera jamais que tu lui tiens tête. Elle va continuer à te surveiller jusqu'à quand elle te prendra la main dans le sac, juste pour se débarrasser de toi et t'empêcher de relever la tête. Et pour ça, elle se servira de Eva Mae et Missy. Pour obtenir des faveurs, les deux filles, elles rapporteront à M'ame Lilly tout ce qu'elles entendent et voient, elles inventeront même des choses. Prends garde, ouvre l'œil et prie.

Maint'nant, faut je fais très, très attention avec mon journal, pasqué M'ame Lilly, elle cherche à me coincer, sûr ! À c't'heure, je connais ce que Daniel, il a dû ressentir dans la tanière du lion.

Jeudi, la nuit

Je m'ai réveillée en nage après avoir rêvé de Man. C'était pas un rêve comme les autres. Elle se tenait aux côtés Mr. Harms. Il me souriait, pendant que Man, elle répétait :

– Ça va aller tout doux, *baby girl*. Ça va aller tout doux.

Rufus, il dit que Dieu nous parle dans les rêves. Si c'est vrai, alors je me demande bien ce que Dieu, il essaye de me dire.

Dernier lundi d'août

C'est le 29 août 1859, dit le calendrier. Mr. Harms a apporté un livre pour la leçon. William a pas voulu lire. Mr. Harms a pas prononcé un seul mot. Il a juste ouvert le livre et commencé à lire.

– Il y a très longtemps, dans un pays lointain appelé Gresse vivait un grand héros nommé Ercule...

J'ai connu un esclave de Maît' John Hamby nommé Ercule qui habitait une plantation voisine. Il avait, lui aussi, une force terrible. Mais aujourd'hui, on parlait pas de cet esclave.

Mr. Harms, il nous a raconté comment le Ercule de longtemps passé, il a tué un gros serpent. Puis il s'est arrêté, il a fermé le livre, et il est parti sans ajouter un seul mot.

– L'histoire, elle est pas finie, hein ? a lancé William.

– Demain, a répondu Mr. Harms.

Je suis comme William, je peux pas attendre la suite jusqu'à demain.

Premier jour de septembre

Y a eu une grande course de chevals à Winchester, la semaine passée, et Hince, il a gagné. Dès son retour, il a filé à la cuisine pour me raconter. Aussitôt, Missy, elle s'a mise à côté Hince, comme s'il était venu juste pour elle, mademoiselle Missy. Mais lui, il a demandé — devant elle :

– Où elle est, Spicy ?

Je lui ai répondu de bon cœur.

Lundi

À chaque leçon, Mr. Harms commence par dire le jour, le mois et l'année. Aujourd'hui, c'est lundi 5 septembre 1859. Comme ça, je peux mieux garder la trace du temps.

Mardi 6 septembre 1859

William, il s'est attaché à Mr. Harms ; il se régale avec ses leçons comme un oiseau se régale en picorant les baies. Voilà que le 'tit maître, il lit à présent — et ça lui plaît ! J'apprends beaucoup moi aussi. Maint'nant, je dis plus : « cause la pluie » pasqué Mr. Harms corrige William chaque fois qu'il parle comme ça. Je dis : « *à cause de* la pluie » ; je connais aussi qu'il faut pas écrire « largent » ; on écrit : « l'argent ». On n'écrit pas non plus : « dolo » ; on écrit : « de l'eau ». Et faut pas dire : « lett' », « liv' », « connaît' » ; faut dire : « *lettre* », « *livre* », « *connaître* ». Je pense toujours à bien écrire mes *r*, mais j'arrive pas à les prononcer, mes *r*.

Mercredi 7 septembre 1859

Mr. Harms organise lui-même l'emploi du temps de William. Deux hommes montent des Quartiers chaque matin pour l'aider à se laver et s'habiller. Un des hommes emmène William prendre son 'tit-déjeuner en bas dans sa chaise roulante. Après, c'est l'heure de la leçon dans la fraîcheur du matin — un matin juste assez chaud pour avoir besoin d'une éventeuse. L'éventeuse, c'est toujours moi. Puis arrive l'heure du déjeuner. William, il mange plupart le temps avec Mr. Harms. Le reste de la journée, Mr. Harms lui fait la lecture. Ou bien ils jouent tous les deux aux cartes ou à un autre jeu appelé échecs. William passe la soirée avec son père et sa mère. Mais ils se disputent presque toujours propos une chose ou une autre, alors le garçon va se coucher.

Jeudi 8 septembre 1859

La nuit dernière, je me suis glissée dehors pour aller écrire dans mon journal. Tout d'un coup j'ai entendu un 'tit bruit sec : une brindille qui craquait. Quiqu'un venait. J'ai appelé pour voir qui c'était. C'est Missy qui a répondu :

– Qu'est-ce que tu fais dehors ?

J'étais assise sur mon journal. Je lui ai expliqué qu'il faisait trop chaud pour dormir, alors j'étais sortie pour regarder les étoiles.

– Pourquoi tu te mets toujours là derrière la cuisine ?

Missy, elle cherchait un os, comme dit tante Tee.

– J'aime bien être là. Je peux voir la rivière et les étoiles.

Ma cachette derrière la cuisine, elle est plus sûre du tout. Faut je trouve très, très vite une autre cachette, moins dangereuse.

Vendredi 9 septembre 1859

Depuis qu'onc' Heb est mort, le jardin, il fait vraiment pitié. J'ai retiré *quelques* mauvaises herbes autour les roses. Mais c'est pas pareil, ça sera jamais plus pareil. Onc' Heb me manque. Qui… *quelquefois*, je me retourne pour lui dire *quelque chose*, mais il n'est pas là. Sera plus jamais là maint'nant, juste comme Man.

Ah, oui, j'ai encore appris *quelque chose* avec Mr. Harms : on dit pas « quiquefois », « quique chose » et « quiqu'un » ; on dit « *quelquefois* », *quelque chose* » et « *quelqu'un* » ; on dit pas non plus « je connais lire », on dit : « *je sais lire* ». En quelques leçons, Mr. Harms m'a enseigné bien plus de choses que M'ame Lilly l'a jamais fait.

Mais y a vraiment quelque chose de bizarre propos Mr. Harms — et je peux pas encore expliquer ça avec des mots. Il me regarde jamais. Il me traite comme si je suis pas là.

Samedi 10 septembre 1859

J'ai passé un bout d'temps à fouiller la corbeille à papier du bureau Maît' Henley pour essayer de trouver des choses sur les abolitionnistes et le chemin de fer souterrain. Mais *rien*. J'ai pas pu trouver une seule chose pour m'aider à mieux comprendre ma liste de mots. Quand j'écris L-I-B-E-R-T-É, et je vois toujours pas d'image. Mais je garde les yeux grands ouverts.

Dimanche 11 septembre 1859

Depuis qu'elle a été chassée de la cuisine, tante Tee, elle est si beaucoup triste. Je ferais n'importe quoi pour l'aider, la faire rire et la rendre joyeuse comme avant. C'est à cause de ça, je crois, que j'ai perdu la tête et fait une grosse bêtise. Je suis passée la voir dans sa case. On a parlé, et après, je connais pas ce qui m'a pris, avec un bâton, j'ai écrit sur le sol de terre battue : M comme MAN.

J'ai même pas eu le temps de réaliser, tante Tee, elle m'a giflée si fort que j'ai dû me cramponner à la table pour pas dégringoler. Même M'ame Lilly, elle m'a jamais cognée si dur. Tante Tee, elle a aussitôt effacé les lettres avec son pied. Après un 'tit moment, ma tête s'est enfin arrêtée tourner et les taches devant mes yeux, elles se sont arrêtées danser. Y avait aucune colère dans les yeux de tante Tee, seulement de la frayeur.

– Est-ce que tu connais ce qui arrive aux esclaves que leur maître surprend à lire ou à écrire ? elle a chuchoté d'un ton sévère.

Je connaissais. On les fouettait ou — pire ! — on les vendait dans le Sud profond. À quoi bon lui faire comprendre que j'avais confiance en elle ? Toute façon elle me dénoncerait pas.

– Je veux pas qu'on me fait confiance, a dit tante Tee, au bord des larmes. Regarde un peu ce que la confiance, elle m'a apporté. Je croyais que Maît' Henley, il agirait toujours correct avec moi, pasqué j'ai toujours agi correct avec lui. C'est pas comme ça. Regarde-moi maint'nant. Regarde où la confiance m'a menée. Qui t'a appris à lire et à écrire, ma fille ?

J'avais peur de parler, et je regrettais vraiment de lui avoir dit le 'tit peu j'avais dit. J'ai décidé garder pour moi presque toute la vérité.

– J'ai juste appris qui... *quelques* mots toute seule.

Tante Tee, elle avait le souffle coupé. Elle claquait même des dents, et sur sa figure, y avait le nuage du souci.

– Ne sème pas le trouble devant ta propre porte, elle a dit en se mordant la lèvre comme elle fait toujours chaque fois quand elle est vraiment inquiète. Et ne parle pas à âme qui vive de ce 'tit morceau de connaissance que tu as, tu m'entends ?

Jamais, j'ai été plus sûre de quelque chose. Je dirai à *personne* mon secret.

Après la leçon, lundi 12 septembre 1859

J'ai « semé le trouble devant ma propre porte ». Mr. Harms, il s'a rendu compte de quelque chose.

Mr. Harms et William lisaient ensemble une pièce de théâtre. Comme d'habitude, j'étais debout derrière eux à éventer — en haut, en bas, en haut, en bas — et à lire par-dessus leurs épaules. William a trébuché sur le mot « significatif » et il est resté en panne. J'étais tellement captivée par l'histoire, j'ai oublié où j'étais, et la première partie du mot, elle m'a échappé. « Sign'... » J'ai essayé me reprendre, mais trop tard.

Mr. Harms s'a brusquement retourné pour me regarder. Sa bouche, c'était un peu ouvert, comme quand on est très étonné.

– Que disais-tu ? il m'a demandé.

– Sign'... ss... *s'il* vous plaît, Missié ? J'ai dit : « *S'il...* » S'il vous plaît, Missié ? Est-ce que je peux partir ?

Mon cerveau, il tournait toute vitesse — Seigneur, fais-moi sortir de ce pétrin.

Mr. Harms a baissé les yeux sur le livre avant de lever la tête pour me regarder à nouveau. Je crois qu'il a regardé aussi l'endroit où je me tenais.

– Oui, il a dit, tu peux partir, mais dis-moi d'abord comment tu t'appelles.

Il connaît — je suis sûre qu'il connaît ! Seigneur ! Seigneur ! Qu'est-ce qui va m'arriver maint'nant ?

Mercredi 14 septembre 1859

Je crois que je m'ai trompé propos Mr. Harms. Il a pas prononcé un seul mot, et je suis toujours là à éventer pendant les leçons. J'ai laissé tomber le journal pendant quelques jours, pasqué j'avais trop peur de m'approcher de la cachette, avec cette Missy qui rôde dans le coin, et ce Mr. Harms qui a peut-êt' tout de même deviné quelque chose.

Jeudi 15 septembre 1859

Spicy, elle a l'air fatiguée quand elle revient des champs. Mais elle dit :

– Le tabac, ça vous gifle pas en pleine figure et ça vous appelle pas n'importe quelle heure la nuit pour vous envoyer faire ci ou ça.

Spicy, elle aime mieux travailler aux champs qu'à la Grande Maison.

Missy aime la Grande Maison. Elle est très impressionnée par l'éclat et le brillant joli de la maison du maître. Elle circule d'une pièce à l'autre en tripotant tout et en poussant des grands *ooh* et des grands *aah* chaque fois quand elle voit une nouvelle chose. Elle est tellement occupée à regarder le mobilier, les bibelots et tout qu'elle fait pas très attention. Quelquefois, je dois refaire par-derrière son travail pour nous éviter à toutes les deux les pires ennuis.

Quand je lui esplique où elle s'a trompée, Missy, elle se fâche tout bleu et elle commence à me crier dessus avec une figure gribouillée de haine :

– Tu te crois peut-êt' gentille. Mais tu me dégoûtes et tu me rends malade à toujours 'sayer parler correct joli. Tu es juste une 'tite créature maigriote de rien du tout, alors viens pas 'sayer me dire que je suis stupide.

Jamais, j'ai dit qu'elle était stupide, même si le je pense. Et j'essaye pas de parler correct joli.

Puis, avant la fin de la soirée, la voilà qui recommence à faire ami-ami avec moi. Elle me pose toujours beaucoup de questions propos Hince mais je connais jamais comment lui répondre.

– Pourquoi tu demandes pas à Spicy ? je lui dis.

C'est difficile de s'imaginer qu'on a été amies un jour. Missy, elle est chargée de nous espionner.

Lundi 19 septembre 1859

La saison des pommes, c'est presque fini. Les hommes de grande taille, ils frappent les pommes à coups de bâton pour les faire tomber et après, on les ramasse. Cette année, on m'a mise au tri avec les femmes adultes, toute la journée à ranger les pommes, grosses, moyennes ou petites, dans des tonneaux. J'aime pas ce travail, mais j'aime beaucoup écouter les femmes raconter des histoires ou évoquer leurs souvenirs. Et quand elles racontent une histoire propos ma Man, alors je suis vraiment contente.

Mardi 20 septembre 1859

J'ai trouvé une bonne cachette pour mon journal dans le creux d'un arbre, juste de l'autre côté du verger. Je me sens plus en sécurité ici. Ma cachette derrière la cuisine, ça devenait trop dangereux. Ce qui me manque vraiment, c'est la tournure des choses, du temps où onc' Heb vivait encore et où tante Tee gouvernait la cuisine. C'était une époque beaucoup moins troublée que main-t'nant.

Le même jour, un peu plus tard

Après le dernier repas, Missy, elle m'a dit d'une voix tout sucre et sirop :

– On est amies depuis longtemps, longtemps passé, et pourtant, je te connais pas.

Qu'est-ce que ça pouvait bien vouloir dire ? Missy, elle me connaissait, sûr !

– Je connais ton nom, elle a continué ; je connais que tu préfères le pain de froment aux 'tits pains de maïs. Tu vas toujours choisir la couleur rouge plutôt que la couleur verte, et ça te plaît de rester toute seule dans ton coin. Mais en fait, je te connais pas, Clotee. Par exemple, qu'est-ce qui te rend heureuse et qu'est-ce qui te fait pleurer, je connais pas. Tu es pas comme les autres. Tu es différente. Qu'est-ce qui te rend différente ?

J'avais déjà entendu ces mots. M'ame Lilly, elle m'avait déjà dit que j'étais différente, et elle avait aussitôt envoyé Missy espionner.

– Les amis partagent leurs secrets, elle a 'jouté d'une voix toute gentille et toute douce. Tu as pas un 'tit secret à partager avec moi ?

– Non, j'ai répondu — et je me suis débarrassée d'elle aussi vite j'ai pu.

Missy, c'est une moucharde, venue tout droit de chez M'ame Lilly. Je connais la musique.

Mercredi 21 septembre 1859

Je regrette de pas pouvoir lire dans le cœur de Mr. Harms aussi facilement que dans le cœur de Missy et Eva Mae. Y a un 'tit mystère autour Mr. Harms qui m'intrigue. Il a l'air étrange et il se comporte étrangement, alors les gens font pas très attention à lui. Ils ne le voient pas tout le temps à écouter, à s'imprégner de tout ce qui se passe autour de lui. Mais moi, je le vois.

Y a juste une minute, j'ai aperçu Mr. Harms. Il se tenait à l'autre bout du verger et regardait en direction des bois et même plus loin encore, de l'autre côté la rivière. Regardait — c'est tout. Ça m'a rendue nerveuse. Mon journal, l'était seulement à un 'tit mètre de lui. Peut-êt' faut que je le change encore de place.

Tante Tee et moi, on a pas reparlé de ce que je lui ai dit propos lire et écrire. Spicy, elle a déclaré qu'elle avait vu Mr. Harms regarder les esclaves travailler dans les champs. Juste les observer sans rien dire, juste les regarder travailler.

Lundi 26 septembre 1859

J'ai porté ma paillasse dehors. Les étoiles sont si brillantes. Je peux presque les entendre tinter. Mais ce soir, j'ai entendu Rufus chanter, sa belle voix portée par le vent de la nuit.

M'ensauver, m'ensauver
Sur la pointe des pieds
M'ensauver au Paradis...

Je viens de voir quelqu'un se diriger vers les Quartiers : est-ce que c'était Mr. Harms ? Je me demande à qui il peut bien rendre visite là-bas, à cette heure tardive. Ah, oui, c'est vrai, des Blancs descendent quelquefois aux Quartiers dans le noir de la nuit, quand leurs femmes et leurs mères sont pas là pour les voir. Mais je suis surprise. Mr. Harms, il a pas l'air d'être ce genre d'homme.

Mardi 27 septembre 1859

Ce matin, M'ame Lilly, elle est partie pour Richmond. Chaque année, en septembre, elle fait un séjour chez sa fille Clarissa. Elle sera absente pendant plusieurs bonnes semaines. Ce sont toujours des jours heureux pour nous, les esclaves de la Grande Maison.

En général, elle emmène William avec elle. Et elle avait promis de m'emmener cette année. Mais, cette fois, William, il a refusé tout net d'aller là-bas. Et, Dieu sait pourquoi, elle m'a pas emmenée, elle a emmené Missy à la place. Bon débarras. Je vais pouvoir me reposer de ces deux-là. Et rester avec tante Tee et Spicy plupart le temps, même si Eva Mae, elle jure de tout raconter quand M'ame Lilly, elle sera de retour.

Vendredi 30 septembre 1859

M'ame Lilly est partie. Maître, il est allé chasser — reviendra pas avant lundi. William est à la maison, mais il dort dans sa chambre. Mr. Harms fait la sieste, lui aussi. Quand personne est là, Belmont, ça devient une immense salle de jeu.

Spicy et moi, on est montées en douce dans la chambre de M'ame Lilly. On a mis ses bijoux, ses châles, ses chapeaux. On s'a assises à son bureau où y a toutes sortes jolis papiers et des plumes et de l'encre tout plein. J'en ai pris assez pour que ça me dure un bon bout d'temps.

Tout d'un coup, on a entendu un bruit dehors, dans la cour. D'abord, j'ai cru que c'était peut-êt' un des chiens de la maison ou alors un raton laveur. Vite, vite, on a sauté à bas du lit et couru à la fenêtre.

Et là, on a vu Rufus se faufiler d'un arbre à l'autre avant de prendre la direction des Quartiers. On a pensé qu'il était peut-êt' allé chasser. Mais, un peu plus tard, j'ai vu Mr. Harms sortir à pas de loup de l'autre côté du bois. On l'a regardé se déplacer furtivement d'ombre en ombre jusqu'à quand il a atteint la maison et il est entré dedans. On n'a pas osé respirer avant d'avoir entendu ses pas franchir le seuil de la porte et traverser le grand parloir pour gagner sa chambre.

On a tout rangé, tout nettoyé, tout remis en place sans faire de bruit et on a laissé la chambre de M'ame Lilly exactement comme on l'avait trouvée.

Qu'est-ce que Mr. Harms et Rufus, ils pouvaient bien fabriquer ensemble dans les bois si tard dans la soirée ?

Lundi 3 octobre 1859

Je suis partie habiter avec tante Tee, en bas, aux Quartiers. Elle s'occupe de *baby* Noé et des autres enfants qu'on peut pas encore mettre au travail. Quand Wook, elle est venue chercher le bébé, on a eu enfin l'occasion de causer un peu. Depuis qu'ils ont marié, elle n'a vu son mari que deux fois. Paraît qu'il aime une autre fille de sa plantation et qu'il voudrait la marier. Wook, elle a beaucoup changé. Elle a tout le temps l'air triste, si triste.

Je lui ai raconté comment Missy, elle se comportait, et ça l'a pas du tout surprise. Elle a dit :

– Missy, elle s'intéresse qu'à Missy, c'est une igoïste.

Quand on jouait encore ensemble, j'ai jamais remarqué ce côté de Missy, mais Wook, elle l'avait déjà vu. Elle m'a espliqué :

– Quand j'avais quelque chose, n'importe quoi, même une toute petite chose, elle la voulait. Elle a pris la mouche, pasqué je m'ai mariée la première. Elle aurait bien pu marier avant moi, ça m'aurait été complètement égal.

Plus tard, dans la case tante Tee, c'était comme au bon vieux temps. On a chanté et raconté des histoires. Spicy et moi, on s'a même mis à travailler à notre patchwork.

Mardi 4 octobre 1859

Aujourd'hui, Mr. Harms a tatillonné William propos son « pasque » — toujours, il dit « pasque » au lieu de « *parce que* ». Alors j'ai appris, moi aussi. Faut pas dire « pasque » ou « pasqué », faut dire « *parce que* ».

Après la leçon, je suis allée porter le repas à Hince aux écuries. On a parlé pendant un bon bout d'temps. Parler tous les deux, juste lui et moi, c'est si amusant. Les mots, ils sortent tout droit de ma tête comme des grains de maïs qui éclatent, j'ai même pas besoin de réfléchir.

– Est-ce que tu as déjà pensé à t'enfuir ?

Il a étudié la question pendant un bon moment.

– Quelquefois.

– Qu'est-ce que tu ferais si tu étais libre ?

– Si j'étais un homme libre, eh bien, je pourrais me louer comme jockey. Je parierais sur moi-même et je gagnerais, gagnerais, gagnerais, jusqu'à quand j'aurais assez de l'argent pour acheter votre liberté à toutes les trois — Spicy, tante Tee, et toi, Clotee. Oui, c'est ce que je ferais, je crois.

Quand personne regardait, j'ai écrit L-I-B-E-R-T-É dans la farine. Mais je vois toujours pas d'image.

Le même jour, un peu plus tard

Elle a tenu sa promesse, Eva Mae, elle a dit à Maît' Henley que j'habitais plus dans la cuisine, qu'à la place, j'habitais aux Quartiers avec tante Tee. Il m'a parlé propos cette affaire pendant qu'on lui servait son souper.

– Tante Tee, c'est comme ma Man, j'ai dit. Je voudrais habiter avec elle.

– Tu veux habiter aux Quartiers avec tante Tee ? Eh bien, qu'est-ce que ta maîtresse dit de ça ?

– Je lui ai pas demandé.

– Quand elle reviendra, pose-lui la question et vois ce qu'elle te dira. Je me rangerai à son avis. Tu es une de ses préférées.

Moi ? J'ai jamais pensé une minute je pouvais être la favorite de M'ame Lilly, sauf quand elle voulait obtenir quelque chose de moi.

Mercredi 5 octobre 1859

Maît' Henley, il s'a fâché bleu propos le poulet frit d'Eva Mae. L'a traité de carton bouilli... insipide ! Bien fait. Ça lui apprendra.

Jeudi 6 octobre 1859

Ce soir, Spicy, elle m'a prise par la main pour me conduire devant un grand arbre creux. Mon cœur, il a défailli quand je m'ai rendu compte que c'était l'arbre où j'avais caché mon journal. Est-ce qu'elle l'avait trouvé ? Et tout d'un coup, Spicy, elle a laissé 'chapper qu'elle avait un livre. Pour le prouver, elle a tendu le bras et sorti du creux de l'arbre... une Bible. Mon journal, il était juste à quelques centimètres de là. Elle a espliqué :

– J'ai toujours eu envie de te dire ça, mais j'avais peur.

Spicy, elle avait bien une Bible, la Bible qui avait appartenu à sa Man. Ma Man, a commencé Spicy, elle connaissait lire et écrire. Elle s'a mise à raconter son histoire — et cette histoire, elle ressemble à toutes les autres. Sa Man, elle avait 'sayé de se sauver, mais chaque fois, elle était rattrapée et fouettée jusqu'au sang. Pour finir, son maître, il l'a prévenue : si tu t'enfuies encore une fois, il a dit, tu seras vendue. La Man de Spicy, elle savait écrire — ça lui avait pris un bon bout d'temps ! Même quand elle a eu Spicy, elle a continué à apprendre.

Alors, un beau jour, elle s'a fabriqué un laissez-passer et elle a 'sayé s'échapper une dernière fois. Mais un esclave qui travaillait à la Grande Maison a tout rapporté à la maîtresse, et on l'a rattrapée. Avant qu'on l'envoie dans le Grand Sud, la Man de Spicy, elle a juste eu le temps de passer la Bible en cachette à sa fille.

– Je l'ai toujours gardée avec moi, a dit Spicy. Je peux pas lire un seul mot qui est ladan, pas encore. Un jour, je le ferai. Mais même si je connais jamais lire, je garderai toujours cette Bible avec moi. De ma Man, il me reste rien d'autre.

Et Spicy, elle a serré le livre contre son cœur.

– Y a pas une seule personne sur terre qui a entendu parler de ce livre, à part toi, Clotee. Mais j'ai confiance, je connais tu diras rien, pasqué nous sommes des bonnes amies.

Est-ce que je dois partager mon secret avec Spicy ? Le bon sens me dit que je devrais pas. Mais moi, je le veux si fort.

Lundi 10 octobre 1859

Mr. Harms est entré dans la cuisine ainsi un ouragan. Il rageait, envoyait des postillons, faisait beaucoup tapage. Eva Mae et moi, on a été obligées d'arrêter ce qu'on faisait pour l'écouter.

– Ce livre est tombé sous mes yeux, a dit Mr. Harms

en brandissant la Bible de Spicy. S'il appartient à l'une de vous, je veux en être informé immédiatement ! Allons, parlez ! il a 'jouté — tandis que ses yeux allaient et venaient d'une figure à l'autre.

Il aurait pu économiser son souffle. Cette Bible, c'était à aucune de nous deux.

– Je rapporterai cet incident à M'ame Lilly, quand elle sera de retour, il a continué.

– Oui, Mr. Harms, a répondu Eva Mae.

– Viens avec moi, Clotee, a ajouté le précepteur en fourrant sous son bras la Bible de Spicy.

On est sortis de la cuisine. Une fois dehors, il a chuchoté sur le ton de la conversation :

– De ma chambre, la vue est intéressante.

Qu'est-ce que ça peut bien vouloir dire ?

Mardi 11 octobre 1859

Après le 'tit-déjeuner, je m'ai faufilé dans la chambre de Mr. Harms. De la fenêtre de côté, j'avais une très bonne vue sur les bois et surtout sur l'arbre où mon journal et la Bible de Spicy, c'était caché. Dieu merci, y avait aucune autre chambre à l'arrière de la maison qui donnait sur les bois.

Qu'est-ce qui se passe ? Mr. Harms connaît mon secret, j'en suis sûre ! Il a dû nous voir toutes les deux devant l'arbre, quand Spicy, elle me montrait sa Bible.

Mais alors pourquoi Mr. Harms, il a rien dit à M'ame Lilly et à Maît' Henley ? Je commence à me dire que dans cet homme étrange y a bien plus qu'aucun de nous ne peut l'imaginer.

Le même soir, plus tard

Mes suspictions, elles étaient justes. Mr. Harms est pas celui qu'il a l'air d'être. Quand je suis allée prendre mon journal dans le creux de l'arbre pour le déménager, j'ai trouvé un 'tit billet 'pinglé dessus. Je recopie ici :

Je sais que tu sais lire et écrire.
Fais attention, s'il te plaît. Je te parlerai bientôt.

Le billet était signé « H » pour Harms.

J'ai caché mon journal dessous ma robe et je m'ai dépêchée d'aller chercher Spicy. Je voulais pas la mêler à toutes ces histoires, mais toute façon, elle l'était déjà. Ça me brisait le cœur de lui dire que Mr. Harms avait trouvé sa Bible. Mais ça lui a fait encore plus mal de s'imaginer que j'avais mouchardé. Même quand je lui ai montré comme c'était facile pour lui de nous voir par la fenêtre, elle arrivait pas à me croire.

– Si c'est vrai, alors pourquoi Mr. Harms, il a rien dit à Maît' Henley ?

J'avais plus le choix ; j'étais obligée tout raconter depuis le début. J'ai inspiré profondément et j'ai montré à Spicy mon journal avec le billet que Mr. Harms, il avait 'pinglé. Spicy m'a aussitôt emmenée à la case de tante Tee.

Dimanche de repos, 16 octobre 1859

Les coqs ont chanté à l'instant. Je remercie le Seigneur, aujourd'hui, c'est dimanche et pas un jour de travail complet. Tante Tee, Spicy et moi, on a veillé toute la nuit — parlé, parlé, parlé. Y a plus aucun secret entre nous maint'nant. En un sens, je suis contente. En fait, j'écris mon journal ici, dans la case de tante Tee. Au début, elle était pas contente que j'apprends des choses, mais maint'nant, elle dit qu'elle a juste peur, très peur. Elle veut pas que le maître, il me fouette ou il me vend dans le Grand Sud. Tante Tee, elle a déclaré :

– Les voies du Seigneur sont impénétrables, comme on dit. Je comprends pas le travail du Seigneur qui s'accomplit en toi, ma fille, mais je ferai rien contre.

Elle m'a même proposé de cacher mes papiers dans sa case. Le journal, il sera en sécurité avec elle. Mais je me fais souci, pasqué –*parce que* — tante Tee et Spicy, elles sont en danger à cause de moi. Si les maîtres les surprennent avec ces papiers, alors, on risque toutes les trois de se retrouver dans un sacré pétrin. Peut-êt' Mr. Harms, il pourra nous aider. Mais qui est-il en fait ? J'ai des idées à ce sujet, mais j'ose pas encore... les écrire.

Plus tard

Tante Tee et Spicy pensent que je devrais pas faire entièrement confiance à Mr. Harms. Mais pourquoi ? J'ai toutes les raisons de penser que je peux le croire les yeux fermés.

J'ai regardé dix fois, cent fois le 'tit portrait de Na-qu'un-œil. Il ressemble pas du tout, du tout à Mr. Harms, mais après tout ce qui s'a passé, je commence à me dire que Mr. Harms, c'est possible il connaît Na-qu'un-œil. Mr. Harms n'est pas de la Philadelphie, la New-York ou la Boston, mais de Virginie. Est-ce qu'un missié du Sud peut être abolitionniste ? Mr. Harms a écrit dans son billet qu'il me parlerait. Alors peut-êt' j'aurai des réponses à quelques-unes de ces questions.

Lundi 17 octobre 1859

– Tu veux bien m'apprendre à écrire mon nom ? elle m'a demandé, Spicy.

J'ai jamais vraiment pensé que je pourrais un jour apprendre à quelqu'un d'autre à écrire, parce que j'ai toujours été la seule à faire ça. Je m'ai servi du tisonnier pour écrire des lettres dans les cendres. Spicy et tante Tee, elles regardaient avec des yeux 'merveillés. Pour la première fois, je pouvais partager mon secret avec quelqu'un. J'aime les voir sourire devant les lettres qui forment leurs noms. Ça me fait chaud au cœur. À quoi bon connaître des choses, si on peut jamais s'en servir pour faire du bien aux autres ? Spicy a tracé un S. Et tante Tee un T. C'était leur première leçon.

Mardi 18 octobre 1859

Mr. Harms sait que je sais qu'il sait que je sais lire et écrire. Mais il ne m'a pas dit un seul mot à ce sujet. Me traite exactement comme d'habitude. Quand est-ce qu'il me parlera ?

En attendant, notre travail à la Grande Maison est pas si dur que d'habitude, parce que M'ame Lilly, elle est pas encore de retour. Mais y a un ennui : depuis une semaine, Maît' Henley, il a pas quitté son bureau, alors j'ai pas pu chiper de l'encre. Tante Tee, elle m'a aidée à préparer un mélange cendres de charbon de bois et jus de mûres. Ça fait une encre correct joli en attendant de trouver mieux.

Mercredi 19 octobre 1859

Les jours raccourcissent, et il fait frais, le matin, à l'heure de la leçon. Aujourd'hui, Mr. Harms, il a changé l'horaire : c'est plus le matin, c'est au début de l'après-midi, quand il fait encore assez chaud pour avoir besoin d'une éventeuse. Mr. Harms, il a tout changé exprès. J'aurais voulu dire merci, mais j'ai pas osé. Il a dit qu'il me parlerait, alors je dois attendre.

Dimanche 23 octobre 1859

Maître, il est parti chercher M'ame Lilly à Richmond. On a encore eu toute une journée pour nous tout seuls. Mais y avait un 'tit souci : William, il voulait venir aux Quartiers pour assister à la réunion et Mr. Harms, il a pensé c'était une bonne idée. On était pas de cet avis, c'est sûr, mais qu'est-ce qu'on pouvait dire ?

Pendant la réunion, Rufus, il a parlé propos les trois garçons dans la fournaise ardente : Shadrak, Meshak, Abed-Nego. Puis il a chanté un chant. Tous, on s'est joints à lui. J'ai jeté un coup d'œil à William et Mr. Harms et j'ai vu qu'ils chantaient et tapaient des mains, eux aussi.

Mon Dieu est un Dieu bon — c'est la vérité.

Je m'ai réveillé ce matin et par la grâce de Dieu, j'étais vivant.

Oui, Dieu est un Dieu grand — ça, je le sais.

Après le culte, on a tous partagé une table ainsi on fait toujours. Mr. Harms a ramené William à la Grande Maison dans sa chaise roulante. J'ai resté là pour être avec Wook un 'tit peu plus longtemps. Y a plus de sourire dans ses yeux — c'est tout parti. Je lui ai massé les pieds, parce que ses pieds, ils étaient enflés si beaucoup. Alors, elle s'est effondrée et s'a mise à pleurer. Elle m'a espliqué, Wook :

– Je déteste mon mari, Lee.

Ce Lee avait obtenu un laissez-passer pour lui rendre visite, mais il est juste venu pour dire qu'il l'aimait pas — veut marier quelqu'un d'autre.

Lundi 24 octobre 1859

M'ame Lilly est de retour. Seigneur, ayez pitié. Maître et Hince, ils sont partis le même jour pour Charleston où y avait des courses de chevals. On a été occupées toute la journée laver et repasser ses habits de voyage à M'ame Lilly. On frottait, frottait, frottait, mais elle était jamais contente ; rien lui plaisait. Et elle a continué se lamenter sans arrêt propos la maison : c'était sale crasseux, elle avait jamais vu ça, et tout, et tout.

Mardi 25 octobre 1859

J'ai réussi à coincer M'ame Lilly dans sa chambre au bon moment, et je lui ai demandé si je pouvais habiter aux Quartiers avec tante Tee au lieu d'habiter à la cuisine.

Je savais comment faire pour obtenir ce que je voulais. Je lui ai dit :

– M'ame Lilly, j'étais en train de penser quelque chose : si vous me donnez cette permission, je pourrai surveiller ce qui se passe aux Quartiers et écouter les conversations, et comme ça, je saurai qui veut s'enfuir.

Elle a étudié un moment cette idée.

– Tu m'as jamais dit une seule chose propos quelqu'un. Pourquoi maint'nant, Clotee ?

J'ai été obligée réfléchir très, très vite et parler sans détour.

– Parce que j'ai pensé que si je vous aide, vous me donnerez peut-êt' des jolies choses comme vous donnez à Missy.

Ma 'tite histoire, elle a très bien marché ! M'ame Lilly m'a permis d'habiter dans la case tante Tee, mais je continue toujours à travailler avec Eva Mae à la cuisine et à faire le ménage avec Missy. C'est un 'tit peu comme avant : tante Tee, Spicy et moi, on passe toutes les heures la soirée à parler, parler. Maint'nant, je pourrai écrire plus souvent dans mon journal sans éveiller les suspictions. La case de tante Tee, c'est pas du tout aussi chaud et agréable que la cuisine. Mais si j'écris M-A-I-S-O-N, je vois cette case. Une maison, c'est pas juste un endroit, c'est quand on se sent aimé, quand quelqu'un, il a besoin de vous. La maison pour moi, c'est là où tante Tee et Spicy, elles sont.

Vendredi 28 octobre 1859

Travaillé sans arrêt toute la semaine. Aujourd'hui, première fois depuis dimanche que j'ai une minute pour écrire. Plupart les nuits, je m'écroule sur ma paillasse, près Spicy. On est trop fatiguées pour parler, mais c'est si bon se retrouver toutes les trois comme avant sous le même toit — et tant pis si ça fuit !

Samedi 29 octobre 1859

Tante Tee, elle a trouvé un moyen d'être utile à nouveau. Elle s'a inventé un travail. Aux Quartiers, les nègres des champs, ils travaillent si dur qu'ils sont trop fatigués le soir pour cuisiner. Alors, tante Tee, elle a commencé à cuisiner pour tout le monde. Les gens ils lui apportent tout ce qu'ils peuvent ramasser à droite et à gauche, et avec ça, elle fait une grosse, grosse marmite. Le soir, quand ils rentrent, un bon repas les attend. Aujourd'hui, ils ont eu du ragoût de lapin, des navets sauvages et des 'tits gâteaux de maïs tout chauds préparés par la meilleure cuisinière de toute la Virginie.

Le même jour, après le dernier repas

Pendant le souper, j'ai glané des 'tits morceaux de conversation. Mr. Harms parlait à M'ame Lilly propos la Bible qu'il avait trouvée. Seulement il a menti en disant qu'il l'avait trouvée près de la rivière.

– Oui, Eva Mae m'a raconté ça. Il paraît que vous vouliez absolument que cette Bible appartienne à Eva Mae ou Clotee. Pourquoi appartiendrait-elle à un esclave plutôt qu'à une personne de la Grande Maison, comme vous semblez le penser ?

– Les esclaves sont d'incorrigibles voleurs, a répondu Mr. Harms. Chaque fois que quelque chose disparaît ou s'égare, je commence toujours par les esclaves de maison. Il y a de grandes chances qu'ils soient les coupables.

Mr. Harms parlait comme un maître. Mais quand j'ai regardé de plus près, je m'ai rendu compte d'une chose : la Bible qu'il montrait à M'ame Lilly, c'était pas du tout la Bible de Spicy. Mr. Harms était prêt à nous aider, Spicy et moi, mais en même temps, il cherchait à être dans les bonnes grâces de M'ame Lilly. J'ai souri dans mon cœur.

Puis Mr. Harms, il a demandé à M'ame Lilly si elle savait que William avait retrouvé un peu de sensibilité dans les orteils. Elle savait pas, elle prend jamais le temps de se mettre au courant de ce genre de choses. Mr. Harms a demandé s'il pouvait 'sayer un nouveau traitement à base d'eau chaude sur les jambes de William. L'a ajouté qu'il l'avait appris d'un docteur de la Washington.

– Uniquement si le Dr. Lamb est d'accord.

– Est-ce que Missy pourrait m'aider à appliquer le traitement ? il a encore demandé.

– Non, a répondu M'ame Lilly, Missy est ma servante personnelle. Prenez Clotee.

Mr. Harms connaissait juste la bonne manière d'entortiller M'ame Lilly. Si c'était moi qu'il avait réclamée, jamais elle m'aurait permis de l'aider. Qu'est-ce que Mr. Harms, il peut bien mijoter ?

Lundi 31 octobre 1859

C'est de nouveau la saison de porter des chaussures. Je déteste mettre les vieilles chaussures, si dures, de William.

Eva Mae, Missy et moi, on est juste au moment de récolter tout ce qu'y a dans le potager pour sécher, mettre en conserve ou saumurer. Les côtes de bettes, c'est déjà prêt pour la cueillette, mais tante Tee, elle dit vaut mieux attendre les premières gelées. C'est ma préférée saison, quand la chaleur l'été, elle fait place à la fraîcheur l'automne, et que je peux enfin dormir.

Mercredi 2 novembre 1859

Hince et Maît' Henley sont rentrés à la maison. Ils ont gagné la course. Ont ramené avec eux un nouveau cheval, très beau — une merveille nommée Veilleur de Canterbury. Il est pas aussi fougueux que Danseur, mais Hince dit que c'est un excellent coureur, puissant et régulier. Il l'appelle « Can ». M'ame Lilly, elle est sortie un instant sur le porche pour jeter un coup d'œil au cheval avant de rentrer en claquant la porte derrière elle.

C'était bon d'avoir Hince à la maison. Il passe presque tout son temps avec les chevals — *les chevaux* ! — mais j'aime entendre son rire monter de l'écurie et s'attarder dans les airs avant d'arriver à la cuisine. Quand je l'entends pas, ça me manque.

Je lui ai espliqué que j'habitais avec tante Tee aux Quartiers mais que je travaillais toujours ici à la Grande Maison.

– Je suis content que tu habites avec tante Tee. Content qu'y a quelqu'un pour veiller sur elle.

Alors Hince m'a beaucoup surprise en me donnant un morceau de ruban en satin rouge. M'ame Lilly, elle possédait rien de plus magnifique. Et ce ruban, j'avais pas besoin de le chiper pour jouer avec. Hince l'avait acheté avec l'argent qu'il avait gagné en pariant pour lui-même.

– J'avais l'intention d'attendre les Grands Jours pour te le donner, mais j'ai pas pu. Il te plaît ?

Le mot, c'est sorti tout droit de mon cœur pour jaillir de ma bouche : « Beau ! » Chaque fois quand j'écrirai B-E-A-U, je verrai mon ruban rouge. Il me donne l'impression d'être jolie, il me donne envie de danser, danser sans arrêter.

Dimanche 6 novembre 1859

Hince a acheté un coupon d'étoffe pour Spicy et pour tante Tee, un peigne à mettre dans ses cheveux. À la réunion, on portait toutes les trois nos cadeaux. Toutes les femmes des Quartiers, elles étaient jalouses, mais

Missy, elle était folle furieuse — elle est même pas restée jusqu'à la fin du service. Rufus a parlé de l'amour.

– L'amour n'est pas jaloux, il a dit en nous faisant à toutes les trois un 'tit clin d'œil.

J'aurais dû avoir honte d'être si fière de mon ruban rouge, mais j'avais pas honte du tout. Je tenais juste la tête un peu plus haute.

Lundi 7 novembre 1859

Missy, elle est entrée à la cuisine en agitant un mouchoir blanc avec des pensées jaunes et violettes chaque coin. Seigneur, propos de qui cette fille, elle est allée commérer ?

Mardi 8 novembre 1859

Eh bien, Missy, elle est allée parler à M'ame Lilly des cadeaux que Hince nous avait achetés — elle était folle enragée, parce que le garçon lui avait rien offert. Et bien sûr, M'ame Lilly, elle a tout rapporté sur-le-champ à Maît' Henley.

Missié Henley a sonné la cloche de la plantation. On est tous accourus devant la maison, et Maître, il nous a emmenés dans les écuries. Oh, non ! Il s'apprêtait à fouetter quelqu'un.

Quand Maître, il a empoigné Hince par le bras, ma respiration, ça s'est presque arrêté.

– Où as-tu trouvé l'argent pour acheter des cadeaux ?

– L'argent que vous me donnez pour manger, je l'ai pris pour jouer aux courses. J'ai parié pour moi-même et j'ai gagné, il a ajouté d'un ton tranquille.

Il avait manifestement pas l'impression d'avoir fait quelque chose de mal.

Maît' Henley a tendu le bras pour attraper un fouet de cocher.

– Toi, parier — et tout ça en douce, derrière mon dos ! Qu'est-ce qui a bien pu te fourrer une idée pareille en tête ? Allons, penche-toi et tiens-toi à la roue du chariot, a ordonné Maître.

Hince, il pouvait pas croire qu'il allait être fouetté. Je pouvais pas le croire non plus.

– Mais Maître, j'ai pas fait ça en douce, j'ai parié ouvertement.

Maît' Henley a fouetté Hince — lui a donné dix méchants coups devant tous les esclaves qu'il avait fait venir exprès pour voir ça. J'ai fermé les yeux et serré les poings si fort que mes ongles se sont enfoncés dans la paume de ma main. Chaque fois quand j'entendais siffler le fouet qui frappait le dos de mon ami-frère, j'avais envie de hurler.

Tout le monde savait que Hince, c'était le pain beurré

de Maît' Henley, l'assurance d'avoir toujours les poches pleines, et tout le monde pensait : « Si Hince lui-même a été fouetté, alors on peut tout craindre. Si Maître nous surprend à faire quelque chose — n'importe quoi, même une chose sans malice, juste une chose qui lui plaît pas, qu'est-ce qu'il va nous faire, à nous ? »

Maît' Henley a juré qu'il donnerait plus jamais un sou à Hince pour manger quand ils seraient en voyage. L'a dit que Hince, il pouvait mourir de faim !

Me demande comment Missy, elle se sent maint'nant après ce qu'elle a fait — juste pour cet affreux 'tit mouchoir de rien du tout ! Jusque-là, les méchancetés et les vilains coups Missy, on les laissait passer, on les supportait sans rien dire, parce qu'on trouvait qu'elle était jolie et tout. J'avais même envie de lui ressembler. Mais si être jolie dehors, ça veut dire être méchant dedans, alors, Seigneur, fais que je reste ordinaire ! Tante Tee, elle dit toujours :

– Les choses, ça va, ça vient ; celui qui croyait prendre, un jour, c'est lui qui est pris.

Eh bien, Missy, elle perd rien pour attendre.

Mercredi 9 novembre 1859

Tante Tee, elle a soigné les blessures de Hince. Le fouet de cocher lui a lacéré la peau du dos mais pas aussi profondément qu'un fouet à neuf cordes. Hince, il se sentait avant tout humilié — honteux d'avoir été fouetté devant tout le monde. Être un jockey toujours gagnant l'a pas aidé du tout, du tout. Jockey ou pas, gagnant ou pas, Maît' Henley l'a fouetté tout pareil.

Spicy et moi, on a 'sayé de le réconforter en disant tout le mal qu'on pouvait propos Maît' Henley. Ça lui a fait du bien, je l'ai vu sur sa figure.

Un jour, quand les abolitionnistes viendront, ils supprimeront toutes ces punitions. Je me demande si ce jour est encore loin.

Vendredi 11 novembre 1859

Il a mouillé tout le long la journée. Une pluie douce, très douce qui s'a refroidie peu à peu.

M'ame Lilly m'a fait appeler dans sa chambre. On est montées au grenier. Y avait plein de boîtes là-haut — des choses que j'avais encore jamais vues. Des robes, des manteaux, des chapeaux. Ça sentait le vieux et le moisi, et la poussière, elle m'a fait 'ternuer.

M'ame Lilly, elle a ouvert une malle toute grinçante et elle a pris ladan une paire de souliers et une robe qui avaient dû appartenir à sa fille. Elle me les a tendus. J'ai encore jamais eu des vrais souliers et une jolie robe. Juste les pull-overs tout blancs que tante Tee, elle arrangeait pour moi.

– Autrefois, ta mère avait fait cette robe pour ma Clarissa. À présent, tu peux l'avoir.

Vite, j'ai enfilé les souliers. Ils étaient un peu grands, mais beaucoup plus doux aux pieds que les grosses chaussures de William. Mes orteils, ils avaient plein de place, et le bord des souliers, c'était pas aussi dur et aussi écorchant. J'ai mis la robe. J'avais l'impression de l'avoir toujours portée, parce que Man, elle l'avait cousue elle-même. J'ai plongé ma figure ladan et 'sayé de retrouver l'odeur de Man, mais ça m'a juste fait 'ternuer encore plus. M'ame Lilly, elle était devenue presque un être humain, mais il fallait que j'ouvre l'œil. Elle était pas gentille juste pour être gentille. Elle manigançait quelque chose — sûr !

Quand j'ai montré à tante Tee et Spicy ce que M'ame Lilly, elle m'avait donné, elles m'ont toutes les deux jeté un regard interrogateur.

– Je lui ai rien dit. C'est la pure vérité !

Elles m'ont crue mais elles m'ont fortement conseillée d'être très beaucoup prudente.

Samedi 12 novembre 1859

Cette saison de leçons, elle aurait déjà dû être finie pour moi, parce qu'il fait trop froid pour éventer. Sans cette histoire de traitement à l'eau chaude, mon temps d'école, il s'aurait terminé comme les autres années.

Heureusement, Mr. Harms a besoin mon aide pendant les leçons. Mais toujours pas un mot de sa part. Il me voit chaque jour mais il passe à côté de moi comme si je 'xiste pas. Je pourrais aussi bien être un fantôme. Me demande si le traitement, c'est vraiment efficace.

☆

Dimanche 13 novembre 1859

Suis retournée toute allure à la case tante Tee pour raconter au journal ce que j'ai vu.

Je remontais des Quartiers quand j'ai vu Mr. Harms s'enfoncer dans les bois. Je l'ai suivi jusqu'à la rivière le plus silencieusement j'ai pu. Il a porté les mains à sa bouche et imité le chant d'un oiseau. Quelques minutes plus tard, j'ai entendu le même chant. Alors un homme qui ressemblait à un fantôme a surgi de la brume. Quand la lune, elle est sortie de derrière un nuage, j'ai pu le distinguer clairement. C'était pas du tout un fantôme, c'était Na-qu'un-œil — l'abolitionniste du 'tit dessin chiffonné — en chair et en os ! Mon cœur battait si fort dans ma poitrine qu'on pouvait l'entendre — sûr ! J'avais envie de courir dire à Na-qu'un-œil que j'étais aussi une abolitionniste et que je voulais me débarrasser de l'esclavage comme lui. Mais j'ai décidé de juste écouter et regarder.

Je sais maint'nant que Mr. Harms, c'est certainement un ami des abolitionnistes ! Ça veut dire que les abolitionnistes sont pas tous de la Philadelphie, de la New-York ou de la Boston. Ils viennent de partout — même du Sud, même de Virginie. Mais si Mr. Harms est un abolitionniste, alors que fait-il ici, à Belmont ? Est-ce que par hasard ça aurait un rapport avec les esclaves qui s'enfuient par le chemin de fer souterrain ?

Lundi 14 novembre 1859

Hince est venu à la case après le souper — ne se ressent pas trop, je crois, de la séance de fouet. Les traces des coups, elles guérissent vite dehors, mais elles sont beaucoup plus difficiles à guérir dedans.

Aux Quartiers, on entendait Rufus chanter :

Qui dois me ram'ner à la maison.

Dimanche 20 novembre 1859

Aujourd'hui, on a eu comme d'habitude notre assemblée aux Quartiers. Je portais ma nouvelle robe, la robe cousue par Man. Tout le monde disait :

– Comme Clotee est gentille avec cette robe !

J'ai 'sayé vraiment dur de pas faire la fière, mais quand Missy, elle est arrivée, j'ai dû juste me pavaner un peu trop.

– L'orgueil précède la chute, a chuchoté Rufus au creux de mon oreille avant de me faire un clin d'œil.

Hince est venu à l'assemblée, et il s'est assis à côté de Spicy. Depuis quelque temps passé, là où on voit Spicy, on peut être sûr que Hince, il est pas loin derrière.

Rufus a prêché propos Élie qui a été enlevé au ciel dans un chariot de feu. « Maison » et « bercail », dans nos chants, ça veut dire « liberté ». Alors l'histoire de Rufus, elle raconte qu'un jour, bientôt, nous partirons pour le pays de la liberté. Je pensais à Mr. Harms, à Na-qu'un-œil et au chemin de fer souterrain. Est-ce que quelqu'un était sur le point de s'ensauver ?

Descends tout bas, doux chariot
Qui dois me ram'ner au bercail.
Descends tout bas, doux chariot
Qui dois me ram'ner au bercail.
J'ai regardé vers le Jourdain — et qu'est-ce que j'ai vu ?
Une troupe d'anges et de séraphins
Qui venait me chercher
Pour me ram'ner au bercail.
Descends tout bas, doux chariot
Qui dois me ram'ner au bercail.
Descends tout bas, doux chariot
Qui dois me ram'ner au bercail.

Plus tard

Ce soir, tard, Wook, elle est venue à la case tante Tee pour parler avec nous. Les temps ont bien changé. On savait plus quoi se dire toutes les deux. Wook, elle a fait presque toute la conversation — évoqué des vieux souvenirs surtout. Elle m'a taquinée propos le temps où on jouait à cache-cache : tu te rappelles le jour où tu t'avais cachée dans un sumac vénéneux ? Ça nous a fait rire toutes les trois ! Alors Wook, elle a dit qu'elle devait partir. « Adieu », elle a 'jouté en serrant tante Tee et Spicy dans ses bras. Et quand elle m'a serrée à mon tour dans ses bras, elle a chuchoté tout bas :

– Prie pour moi.

J'en ai parlé à personne. Mais à mon avis, Wook, elle est sur le point de s'ensauver. Très probablement avec l'aide de Na-qu'un-œil et de Mr. Harms. Je sais pas comment je sais, mais tout cas, je sais — ah, pour ça, oui !

Lundi 21 novembre 1859

Toute la matinée, la maison, a été sens dessus dessous. On pouvait pas faire entendre raison à Maît' Henley. Je m'étais pas trompée ! Rufus, Aggie, Wook et *baby* Noé ont pris la fuite, la nuit dernière. Ils se sont pas couchés, et au petit matin, les oiseaux s'étaient envolés.

Maît' Henley a fait une promesse :

– Si l'un de vous m'apporte des renseignements sur Rufus et ceux qui l'ont aidé, je promets de l'affranchir. Réfléchissez-y — votre liberté ! Je le jure !

C'était plus juste une question de 'tit mouchoir. Maît' Henley, il a promis la liberté. Dire que si je lui racontais tout ce que je sais propos Mr. Harms et Na-qu'un-œil, je pourrais être libre ! LIBRE. L'idée est tentante. Mon Dieu ! Je peux pas croire cette pensée m'a traversé la tête. Comment est-ce que j'ai seulement pu imaginer faire une chose pareille ? En réalité, je pourrais pas dénoncer Mr. Harms. Bien sûr, je sais qu'y a des gens ici, à Belmont, qui seraient capab' de trahir leurs chères Mans pour la liberté et même juste pour un bout de viande. Seigneur, ôte de mon esprit cette idée hideuse pour toujours et à jamais. Amen.

Mardi 22 novembre 1859

Maît' Henley, il est parti avec un groupe d'hommes à la recherche de Rufus et de sa famille. Rufus, c'est la seule personne ici qui a osé se sauver de Belmont, alors, tous, on voulait il réussit son évasion, même si on pouvait pas parler propos d'ça — pas même entre nous.

Y a juste eu tas de chants propos des cieux, et on connaissait tous que les cieux, ça voulait dire liberté.

Nos espoirs, eh bien, ils ont été 'crasés comme des feuilles mortes sous les pieds quand Maît' Henley, il est rentré ce soir ! Il nous a tous fait appeler.

– Ils sont morts, a dit Maître en crachant les mots comme un mauvais fruit — et il a jeté juste devant nous un pantalon et une chemise tachés de sang. Tous les quatre, il a continué. Rufus, on a dû lui tirer dessus. Les autres, ils sont morts noyés dans la rivière, quand le bateau où ils étaient s'a retourné. Le courant les a engloutis.

Rufus ? Aggie ? Wook ? *Baby* Noé — tous morts ! Qu'est-ce qui a pu arriver au chemin de fer qui emmène les esclaves au pays de la liberté ? Peut-êt' que Na-qu'un-œil, il a pas aidé Rufus et sa famille ?

– À partir de maintenant, a dit Maît' Henley, je n'autorise plus les assemblées du dimanche, et il est interdit de parler de Rufus ou d'un membre quelconque de sa famille.

Maître, il peut peut-êt' nous dire ce qu'on doit faire avec notre corps, mais il peut pas me dire — oh, non ! — ce que je dois sentir, ce que je dois penser. Toute ma vie, je me rappellerai Rufus et sa famille, et il pourra pas m'en empêcher !

La même nuit, plus tard

Même si Maît' Henley, il a interdit les rassemblements, on a pleuré à notre façon la perte de nos amis. Des cases des Quartiers, des vergers, de la cuisine, de tous les endroits où y avait des esclaves, nos voix s'élevaient pour chanter. On avait pas besoin d'être ensemble pour partager notre chagrin. On chantait à tue-tête notre douleur. On scandait notre peine en claquant des mains. Jamais on prononçait leurs noms, mais on savait tous qu'on pleurait les nôtres, Rufus et Aggie, Wook et 'tit Noé. Ils étaient enfin libres !

J'ai une belle robe, t'as une belle robe,
Les enfants de Dieu, ils ont tous une belle robe.
Quand je m'en irai au Paradis,
Je m'en vas mettre une belle robe,
Je m'en vas hurler dans le ciel de Dieu,
Dans le grand ciel bleu — tout bleu

Tous ceux qui causent du Paradis,
Ils n'iront pas au Paradis

Je m'en vas chahuter dans le ciel de Dieu,
Dans le grand ciel bleu — tout bleu.

Mercredi 23 novembre 1859

Ce matin, quand on s'a réveillés, le monde avait l'air recouvert d'un fin voile tout blanc. Premières gelées. Saison de l'abattage.

Samedi 26 novembre 1859

Les hommes abattent des cochons et des cochons depuis des jours passés. L'odeur de sang frais des bêtes, elle me retourne l'estomac, alors je me suis tenue loin de la cour d'abattage et j'ai resté près de la cuisine où les marmites et les casseroles, ça cognait et cliquetait. Tout ce bruit, ça aidait à étouffer les cris des bêtes mourantes.

Pendant que j'écris, le fumoir déborde de jambons et de saucisses, de bacon et de côtes de porc — mis à boucaner tout doux dans la fumée d'un 'tit feu de copeaux de bois.

Plus tard

Tante Tee, elle répète :
–Juste quand vous croyez que vous connaissez le diable, il change de figure.

Maint'nant, je comprends ce qu'elle veut dire. J'ai toujours pensé que Maît' Henley, c'était l'homme le pire du monde. Et alors Briley Waith est arrivé. Jusqu'ici, Rufus, il avait toujours été chargé de l'abattage, mais cette année, Maît' Henley, il a engagé Briley Waith à sa place. Il est commun comme la boue de mes souliers, grand et maigre avec une peau rougie par le soleil et des cheveux blancs tout emmêlés dessous un chapeau à bords rabattus. Le fouet à neuf cordes qui pend à sa ceinture me dit que cet homme-là, il est bien décidé à s'en servir et qu'il fera pas semblant.

À juste regarder Waith, j'ai déjà la mort dans l'âme. Y a quelque chose en lui qui me 'fraye profond, profond ladan. Aujourd'hui, on a confectionné du savon sous ses yeux toujours aux aguets. Il voit tout. Pour moi, c'est la plus pire des menaces — il est comme un serpent, sournois, sournois.

Dimanche 27 novembre 1859

Merci, mon Dieu, pour les bons jours, ils enlèvent le poison des mauvais. Tante Tee m'a envoyé chercher Hince à l'écurie. Quand on est entrés dans la case, elle été remplie d'une odeur de pommes et de cannelle.

Depuis des jours et des jours, je chapardais du sucre et du beurre par-ci, de la farine et du lard par-là, en faisant bien attention pas être prise la main dans le sac. Aujourd'hui, j'ai eu le bâton de cannelle, juste assez pour faire une 'tite tarte aux pommes.

C'est les premières gelées, la saison où Hince, il est né.

– Juste pour toi, j'ai dit en lui donnant un bouton noir tout brillant que j'avais trouvé et astiqué comme y faut.

Hince m'a promis de le garder toujours, toujours. Je savais que c'était vrai.

– J'ai rien à t'offrir, a dit Spicy qui se tenait tout près Hince, doigts de pied contre doigts de pied, et le regardait dans les yeux.

Alors elle lui a donné un baiser, juste sur la bouche.

– Je suis contente que tu es né, elle a ajouté.

Le garçon a laissé 'chapper un grand waouh ! qu'on a dû entendre distinctement jusqu'à la rivière. On a pas pu s'empêcher de rire.

À des moments comme ça, onc' Heb nous manque beaucoup. Alors pendant que Spicy et moi, on travaillait au patchwork, on a raconté des histoires avec onc' Heb et Rufus, Aggie et Wook, et ces histoires, elles nous ont rendus encore plus reconnaissants d'être ensemble tous les quatre. C'était comme un miracle. Et jamais une tarte aux pommes a paru aussi bonne.

Lundi 28 novembre 1859

Juste comme on le craignait, Maît' Henley s'a entiché de ce Waith au point de le garder à la plantation. Il a même arraché plusieurs hommes de leurs hangars à sécher le tabac pour les mettre sur-le-champ à la construction de sa case — la case du grand commandeur ! Maît' Henley, il a choisi un emplacement avec une très bonne vue sur toute la plantation. De la porte de derrière, le Waith il voit les Quartiers, et de la porte de devant l'arrière de la Grande Maison. De sa fenêtre gauche, il voit la cuisine et, au-delà, les champs, et de sa fenêtre droite, les vergers et les bois. C'est évident, Maît' Henley, il l'a amené ici pour nous surveiller jour et nuit.

Mardi 29 novembre 1859

Aujourd'hui, M'ame Lilly m'a envoyée chercher. Elle était au lit avec une fièvre.

– Alors tu aimes tes souliers ? elle a dit en gémissant doucement.

J'ai proposé d'aller lui chercher de l'eau. Elle m'a demandé d'approcher, puis elle m'a attrapé la main.

– Tu aimes les jolies choses, pas vrai ?

– Oui, M'ame, j'ai répondu.

À nouveau, elle est revenue sur le sujet.

– Tu peux avoir d'autres jolies choses comme ça, mais il faut me dire ce que je veux savoir.

Et elle m'a posé question sur question propos Mr. Harms — tant et tant que ma tête s'a mise à tourner. Mais j'ai fait vraiment attention à rien laisser 'chapper. Me demande ce qui la pousse à tournicoter comme ça autour Mr. Harms comme un vieux chien de chasse autour sa proie. Sûr que Missy, elle lui a rapporté un os ! Et maint'nant, elle veut que je lui en rapporte un autre. J'ai promis :

– Si j'entends ou si je vois quelque chose, M'ame Lilly, je m'en vas courir tout de suite chez vous.

Tout en disant ça, je pensais : « Je vous raconterai jamais rien, M'ame Lilly. Surtout pas si s'agit d'un abolitionniste. »

Mercredi 30 novembre 1859

Mr. Harms a promis me parler depuis déjà longtemps passé et il a toujours pas prononcé un seul mot. Mais la situation a si beaucoup changé ! Faut vraiment je lui dis que M'ame Lilly, elle 'saye de le coincer. Mais comment ? Le précepteur, il fait comme si je suis même pas dans la pièce. Pendant les leçons, je frictionne les jambes de William après qu'elles ont trempé dans l'eau chaude, très chaude. Pendant ce temps, j'écoute de toutes mes oreilles et je 'saye d'apprendre tout ce que je peux, mais je regrette que Mr. Harms, il me parle pas.

Jeudi 1er décembre 1859

Pendant que je servais le repas de midi, j'ai entendu M'ame Lilly dire à Maît' Henley qu'elle avait écrit à un de ses amis à la Washington. Elle a répété ce que l'ami, il lui avait répondu : « Le père et la mère de Mr. Harms sont des sudistes de bonne souche, mais ses oncles, Josiah et Joshua Harms, sont d'infâmes abolitionnistes. » Et M'ame Lilly, elle a fait la grimace, comme si elle avait prononcé un mot dégoûtant.

– Il faudrait savoir qui est vraiment ce Mr. Harms, elle a 'jouté.

Je le vois bien, Missié et M'ame Henley, ils se disputent propos tout ce qui existe dans le monde, sauf l'esclavage. Sur ce sujet, ils sont d'accord. Ça les rend fous furieux tous les deux d'avoir perdu Rufus et sa famille. Maître, il a dit qu'il interrogerait Mr. Harms sur sa famille.

Je sais que Mr. Harms, il a promis me parler, mais c'était longtemps passé — peut-êt' des semaines même. L'a jamais fait. Je dois à tout prix l'avertir, alors je vais lui parler la première.

Vendredi 2 décembre 1859

Aujourd'hui, j'ai pris un gros, gros risque. Avant la leçon, j'ai attendu à la porte de la chambre de William. Et quand Mr. Harms a traversé le grand vestibule, j'ai chuchoté :

– Faites attention. Le maître et la maîtresse connaissent tout propos vos onc' abolitionnistes. Ils pensent que vous en êtes peut-êt' un aussi.

Mr. Harms, il m'a pas dit un seul mot, il a même pas tourné les yeux de mon côté. Alors je me demande : est-ce qu'il m'a entendue ?

Plus tard

Mr. Harms m'a parfaitement entendue. Après le souper, il a parlé à Maît' Henley propos ses oncles abolitionnistes. Mettre le sujet sur le tapis avant qu'on lui pose des questions, c'était très adroit de sa part. Je servais le café dans le grand salon quand j'ai entendu Mr. Harms déclarer qu'il était honteux et dégoûté de ses relations — il a dit ça, je crois — et qu'il aimerait bien oublier c'était des parents proches. Son discours, a semblé convenir à Maît' Henley. J'ai trouvé toutes sortes bonnes raisons pour rester dans ce salon à écouter. J'ai tisonné le feu pendant que Maît' Henley, il disait :

– Je compte sur vous pour que vous vous comportiez comme un homme honorable, tant que vous serez à mon service dans cette maison.

Venant de Maître, ça sonnait comme un avertissement. M'ame Lilly, je l'ai pas quittée des yeux. Elle a pas dit grand-chose. Mais l'espression sur sa figure, elle racontait toute l'histoire. Elle faisait pas confiance un 'tit brin à Mr. Harms. Mr. Harms s'a fait une ennemie de M'ame Lilly — et je crois qu'il l'a compris.

Samedi 3 décembre 1859

Aujourd'hui, ils ont fini la maison de Mr. Waith. Le commandeur, il va plus habiter aux écuries avec Hince, et Hince, il est si content, parce que ce Waith, il ronflait affreux.

Il a une case en rondins de deux pièces — une pièce et une soupente pour dormir, une case complète avec une porte de devant, une porte de derrière et quatre fenêtres. Rien de spécial, mais à le voir faire le 'tit coq, on croirait vraiment c'est une Grande Maison. M'ame Lilly, elle l'a aidé à meubler sa case avec des choses qui traînaient dans le grenier. Maît' Henley, il lui a donné la clef du magasin et lui a souhaité la bienvenue.

Tante Tee, elle a déclaré :

– Waith, c'est juste de la bagasse, de la pauvre racaille blanche qui l'a encore jamais eue si douce.

Ça veut dire qu'il est prêt à faire n'importe quoi pour plaire Missié et M'ame Henley et garder ce qu'il a. J'ai décidé me tenir à distance et éviter cet homme — il me fait peur.

Avant d'aller me coucher, en jetant un coup d'œil par la fenêtre j'ai vu la fumée qui sortait de sa cheminée. J'ai pensé : « Le nouveau commandeur, il est installé ici, à Belmont, pour un bon bout d'temps : au moins tout un long hiver », et j'ai senti un frisson glacé me parcourir le dos.

Dimanche 4 décembre 1859

Le vent m'a réveillée — sifflait à travers les fentes des murs. Ça faisait des 'tits bruits de chuchotis comme dans le rêve étrange j'étais en train de rêver. Maint'nant, je 'saye écrire ce rêve pendant que je peux encore me souvenir. Mais même comme ça, c'est dur, très dur rassembler tous les morceaux. Je cours, je cours vite mais je sais pas où je vais. Je vois Hince enchaîné et emmené de force — tante Tee, elle supplie Mr. Harms de l'aider, mais il refuse lui parler ; il refuse aussi me parler. Puis je vois un écriteau qui indique Philadelphie, un autre qui indique New-York et un autre encore qui indique Boston. Des gens avec pas de figures brandissent des pancartes qui disent : « Nous sommes des abolitionnistes. » Je cours vers eux, mais j'arrive pas à m'approcher.

Assise ici dans l'obscurité toute froide, j'ai décidé d'aller voir Mr. Harms et de tout lui raconter. Faut juste je trouve où et comment.

Lundi 5 décembre 1859

Mr. Harms et moi, nous nous voyons chaque jour à l'heure la leçon mais nous sommes jamais seuls une minute.

Je dois dire quelque chose nouveau propos William : il étudie dur, vraiment dur. Se plaint pas non plus quand je lui frictionne les jambes. Je sais que l'eau est chaude, très chaude même, et les exercices pénibles, mais il rechigne jamais devant l'effort. Et aujourd'hui, en récompense de toute cette peine il s'a donnée, il a pu remuer le gros orteil. C'était une 'tite chose, mais cette 'tite chose, eh bien, elle m'a fait me sentir importante à l'intérieur — et tout heureuse, comme si j'étais pour quelque chose ladan, comme si j'avais aidé le gros orteil à gigoter en frictionnant les jambes et les pieds à William. C'était un peu comme être docteur. Je connais maint'nant ce que tante Tee et Spicy, elles doivent ressentir quand elles aident à mettre au monde une nouvelle vie.

Mardi 6 décembre 1859

Samella, une chatte de la grange, a fait une portée de trois chatons juste sous le porche la cuisine. Deux, ils étaient morts. J'ai attrapé le troisième, un noir jais, et je l'ai apporté à William. J'avais encore jamais entendu William dire merci pour quelque chose dans toute sa vie, mais il m'a remerciée pour le chaton. Il 'a appelé *Shadow*, Ombre.

Plus tard

– Ce que tu as fait pour William, c'est vraiment très gentil, a dit Mr. Harms qui se tenait debout sur le seuil de la salle d'études. Continue à nettoyer, il a 'jouté.

On avait enfin notre fameuse conversation. Ma tête tournait, tellement je réfléchissais. Qu'est-ce qu'il fallait demander ? Qu'est-ce qu'il fallait dire ? Je pensais : « J'attends ce moment depuis si longtemps passé. »

Notre conversation, elle s'est déroulée comme ça :

– Je devais d'abord m'assurer qu'on pouvait te faire confiance, il a dit. Et aussi que tu avais confiance en moi.

– Est-ce que vous êtes un abolitionniste ?

Je voulais désespérément savoir ça.

Il a souri mais ses yeux, c'était sérieux.

– Oui, je suis un abolitionniste. Qui d'autre est au courant ?

– Tante Tee, Spicy et moi. Mais Ma'me Lilly, elle vous surveille de très près on dirait.

– Merci pour l'avertissement. Elle pourrait poser problème en effet.

– Est-ce que le chemin de fer souterrain, c'est vous et Na-qu'un-œil, l'homme borne ?

– Non. Nous ne sommes pas le chemin de fer souterrain à nous tout seuls, a murmuré Mr. Harms. Nous ne sommes que des conducteurs.

Il a ajouté que ce chemin, c'était pas souterrain et c'était pas un chemin de fer non plus. En fait, c'est juste un groupe de gens qui travaillent ensemble pour aider les esclaves à gagner le pays de la liberté.

– Tu sais lire et écrire. J'ai réalisé que tu avais appris en écoutant pendant les leçons. Remarquable.

– J'ai appris beaucoup de choses avec vous, Mr. Harms.

Et alors, presque sans réfléchir, j'ai lancé :

– Vous êtes sudiste. Pourquoi est-ce que vous voulez mettre fin à l'esclavage ?

Mr. Harms, il a pas pu répondre, parce que quelqu'un venait. J'avais encore tant de questions à lui poser. Plus tard. Maint'nant, c'est l'heure de porter Ma'me Lilly le lait chaud qu'elle prend toujours avant de monter se coucher. Mais il faut d'abord m'assurer que ma figure, elle trahit rien.

Mercredi 7 décembre 1859

Aujourd'hui, le Docteur Lamb, il est venu voir William. L'a dit que sa santé s'améliorait. Cette visite nous a permis de parler encore un moment, Mr. Harms et moi. Il m'a espliqué que Belmont était le premier relais de la région du chemin de fer souterrain. À cet endroit, la rivière est plus étroite et le courant moins rapide. Les esclaves en fuite retrouvent ici leur premier conducteur dans les bois de Belmont, et il les emmène jusqu'au relais suivant.

Alors pourquoi le pauvre Rufus et sa famille, ils ont pas réussi à passer ?

Jeudi 8 décembre 1859

Les jours raccourcissent et rafroidissent. Les récoltes sont engrangées. Le tabac est déjà en train de jaunir sur des charbons de bois qui brûlent doucement. Noël approche. Faut nettoyer et ranger fond en comble la Grande Maison, laver, repasser, cuisiner... Waith nous a tous mis à l'ouvrage. Encore des vacances, ça veut dire des corvées sans fin.

Aujourd'hui, Eva Mae confectionne des cakes aux fruits. J'ai haché, haché des noix et des baies jusqu'à quand mes doigts, ils sentaient plus rien. Missy, elle portait une des vieilles robes de Clarissa. Ma'me Lilly, elle lui a sans doute promis aussi le chapeau qui va avec, si elle rapporte sur mon compte. Missy et moi, c'est à peine si on se parle encore, sauf quand on sert le manger. Cette fille, elle est pendue aux basques de Ma'me Lilly comme Shadow aux basques de William.

Vendredi 9 décembre 1859

On a passé toute la journée dans la grange à rembourrer le matelas de Ma'me Lilly avec des plumes toutes fraîches qu'on avait collectées et mises de côté tout le long l'année.

Hince vient chaque soir à la case pour faire un brin de causette avec Spicy, alors je peux écrire jusqu'à quand il part.

Depuis notre conversation dans la salle d'études, Mr. Harms me glisse temps en temps des choses à lire et je les cache dessous ma robe jusqu'à quand j'arrive ici. Alors je lis les journaux à tante Tee et Spicy. Y a encore beaucoup de choses on comprend pas, mais beaucoup de mes questions, elles ont maint'nant des réponses.

Juste comme je le pensais, les abolitionnistes vivent pas dans un endroit spécial, ils sont partout. Mais ce qui me rend le plus mieux contente, c'est que parmi les abolitionnistes, y a des femmes et même parfois des gens qui étaient avant des esclaves, comme moi. Mr. Harms a parlé propos Frederick Douglass, un ancien esclave qui a appris tout seul à lire et écrire, comme moi. Maint'nant, c'est un abolitionniste — il écrit même dans son propre journal qui s'appelle : *L'Étoile du Nord*. Je veux le lire un jour. Peut-être que je le ferai. Je sais que je le ferai.

Samedi 10 décembre 1859

Tante Tee nous a envoyées ramasser les dernières côtes de bettes, Spicy et moi. Elles sont tendres et sucrées après la nuit de gel. On rentrait juste du potager quand Waith a surgi d'un bond devant nous.

– T'es rudement jolie pour une négresse, il a dit en empoignant le bras de Spicy et en crachant du jus de tabac.

Ce Waith, il m'a sifflé de déguerpir, mais je voulais pas partir, pas sans Spicy. Je m'accrochais à sa main.

– Déguerpis en vitesse, la fille, ou bien gare à toi ! il a crié en faisant claquer son fouet dans ma direction. J'te l'répéterai pas deux fois.

– Mr. Harms, il serait pas content de voir que vous tracassez Spicy. Il se l'a déjà choisie et il veut la garder pour lui tout seul.

Je m'ai surprise moi-même à pouvoir mentir toute allure comme ça. Mais c'était pas mal, puisque ça aidait Spicy. Elle était glacée de peur, parce qu'elle savait que Waith, il avait rien de bon en tête. Le commandeur, il m'a crue. Il a laissé partir Spicy, et on a couru, couru aussi vite qu'on a pu jusqu'à la case de tante Tee.

Je dirai à Mr. Harms ce que j'ai raconté à ce Waith, et peut-être qu'il pourra protéger Spicy jusqu'à... jusqu'à quand ? Est-ce que j'ose l'écrire ? Jusqu'à quand on s'enfuira !

Dimanche 11 décembre 1859

Les bons dimanches qu'on avait quand Rufus était encore ici, ça me manque. Mais Mr. Harms a rendu sa Bible à Spicy. Il l'avait gardée dans sa chambre où elle courait aucun risque. Celle qu'il a montrée à M'ame Lilly, c'était une Bible à lui. Spicy, elle était si heureuse de retrouver la Bible de sa Man. Maint'nant, j'en lis des 'tits morceaux à Spicy et tante Tee quand une occasion se présente.

Plus tard

Ce soir, ici, à Belmont, y a eu une grande fête. Il a fallu travailler dur à la cuisine. Mr. Cleophus Tucker et les autres candidats que Maît' Henley a soutenus, ils ont gagné. La maison, elle avait belle allure, tout brillait, tout étincelait. Pas étonnant : on s'avait donné assez de mal pour ça ! Les invités arrêtaient pas de discuter propos les abolitionnistes et ces affreux intrigants de nordistes et comment ils les détestaient et tout. Je pouvais pas m'empêcher de sourire dans mon cœur en voyant Mr. Harms au milieu de tous ces gens comme un renard dans le poulailler. Je pensais : « Ils savent même pas que c'est le renard ! »

Maît' Edmund Ruffin faisait partie du groupe, ce soir. C'est celui qui a parlé le plus longtemps — avec la plus grosse voix — propos les droits des esclavagistes. La liberté ! *Sa* liberté ! Il n'avait que ce mot à la bouche.

– Nous sommes une nation libre. Nous avons combattu l'Angleterre au nom de notre liberté. S'il le faut, nous combattrons encore pour défendre notre liberté.

Les maîtres, ils font masse de discours quand il s'agit de *leur* liberté. Mais quand il est question d'affranchir les esclaves, alors on dirait qu'ils ont perdu leur langue.

Lundi 12 décembre 1859

C'est la nuit. Il a fait froid toute la matinée, à la fin de l'après-midi, ça s'est réchauffé un peu, et maint'nant, c'est de nouveau le froid, un froid d'hiver. La journée, elle a été longue et rude. Presque toute la matinée, à cause du grand dîner de Noël qu'il faut mettre au point, M'ame Lilly, elle s'est agitée comme une mouche dans la cuisine. Avant la fin la matinée, elle avait déjà giflé Eva Mae deux fois.

Plus tard, M'ame Lilly a distribué à tous les esclaves des Quartiers un coupon d'étoffe pour se faire une chemise ou une robe en l'honneur des Grands Jours qui approchent. J'ai donné à tante Tee mon coupon, parce que j'ai déjà la robe de Man à mettre. Maint'nant, tante Tee, elle est en train de coudre quelque chose de très spécial pendant que Spicy et moi, on travaille à notre patchwork. Il est presque fini.

Le sol de la case, c'est froid affreux, alors on garde nos pieds enveloppés dans des chiffons. On s'assoit près du feu, alors on a le devant chaud et le dos gelé. Y a tellement de fentes dans les murs que le vent siffle. Et aussi confectionner un repas, ça devient de plus en plus dur pour tante Tee, même si je chaparde tout ce que je peux à la cuisine. Les rudes temps de l'hiver sont tout proches. Ce qui nous permet de tenir bon, c'est la 'tite lumière des Grands Jours, notre semaine de dimanches à l'horizon. Onc' Heb, il disait toujours : si on arrive à endurer tout le mois de février, alors on peut endurer aussi le mois de mars.

Mardi 13 décembre 1859

Au point du jour, on a été réveillées par des cavaliers. Des chiens qui aboyaient. Des torches qui luisaient dans l'obscurité. Tante Tee, Spicy et moi, on est allées à la porte pour voir qui c'était. Des cavaliers à c't'heure, c'est jamais bon, ça veut toujours dire des ennuis.

Le chef des cavaliers, Wilson, il a parlé en premier — droit au but et sans détour :

– Deux d'mes nègres se sont sauvés. Un nègre mâle nommé Raf et une fille mulâtre nommée Cora Belle. On a estorqué à coups d'fouet des renseignements à la Man de la fille : les deux nègres, ils ont été aidés par un homme blanc à qui il manque un œil — un *borgne*. Si on l'attrape, il va perdre l'aut', je vous le jure.

Les hommes, ils ont arrêté leurs chevaux.

– On a l'intention de le pendre, a ajouté Wilson.

– Les chiens ont suivi leurs traces jusqu'à vos vergers. On voudrait faire un tour ladan avec votre permission, a dit Higgins.

Maît' Henley, il a brandi un poing.

– Vous avez ma permission. Et si vous me laissez le temps de m'habiller, je vous accompagne.

– Moi aussi, s'est écrié Mr. Waith, le commandeur, en sortant comme un ouragan de sa case. Poursuivre les fugitifs et les rattraper, ça m'connaît, c'était mon métier les trois années passées.

J'étais sûre que ce Waith, c'était quelque chose comme ça : un minable chasseur d'esclaves.

Mercredi 14 décembre 1859

Maît' Henley est rentré de la traque en disant que les fugitifs avaient été retrouvés.

– On les a pendus, il a sifflé d'une voix colère, ajoutant : Ma proposition, ça tient toujours. La liberté pour celui ou celle qui me donne n'importe quelle information au sujet de ce blanc borgne. Réfléchissez bien : la liberté.

Les hommes n'avaient donc pas attrapé Na-qu'un-œil.

J'ai juste gribouillé L-I-B-E-R-T-É dans les cendres. Mais je vois toujours rien. Y a pas d'image. Liberté, c'est vraiment un mot difficile à comprendre.

Jeudi 15 décembre 1859

Waith, il arrête pas une seconde de nous 'sticoter et nous 'poisonner pour qu'on nettoie et nettoie toujours plus propre Belmont en l'honneur des Grands Jours. Mais après tout ce qui s'est passé avec les fugitifs, on n'avance pas, on se traîne, on n'a plus un brin de joie dans le cœur.

Plusieurs femmes sont montées des Quartiers pour aider Eva Mae à préparer le premier repas et à nettoyer. J'ai aidé à mettre dehors l'énorme tapis du grand salon et je l'ai tellement battu, ce tapis, pour faire sortir toute la poussière que j'ai fini par tousser, tousser sans pouvoir m'arrêter. Tante Tee, elle m'a préparé un 'tit sirop avec du miel et des herbes, et j'ai fini par m'arrêter.

Plus tard

Quand je suis allée aux écuries pour porter à Hince une assiette de manger, Mr. Harms, il m'a prise à part. J'ai failli crier, parce que je croyais que c'était ce méchant Waith.

– J'ai des nouvelles, a dit Mr. Harms. Les deux esclaves en fuite ne sont pas morts. Les maîtres vous racontent ça juste pour vous faire peur et décourager les tentatives de fuite.

– Est-ce que ça veut dire que Rufus et Aggie...

J'espérais si fort ! Mais Mr. Harms a répondu :

– Non, ils ont pas réussi. Rufus n'avait pas confiance dans le chemin de fer souterrain. Il n'a jamais cru qu'un sudiste pouvait être aussi farouchement opposé à l'esclavage que moi. Mais je ne suis pas le seul ; nous sommes très nombreux.

Rufus avait donc essayé de réussir son évasion tout seul.

– Quelques fugitifs parviennent à se débrouiller seuls, a espliqué Mr. Harms. Mais la plupart du temps, ils ont besoin d'aide. De beaucoup d'aide. J'ai essayé d'aider Rufus. Je lui ai parlé plusieurs fois quand j'ai appris qu'il projetait de s'enfuir. Mais il n'a jamais eu vraiment confiance en moi.

Ce qui est arrivé à Rufus et à sa famille devrait plus jamais arriver à une autre famille. S'ils avaient su nager, l'un d'eux aurait peut-être pu se sauver. Maît' Henley nous laissera jamais apprendre à nager, parce qu'il sait très bien que les esclaves qui ont la tête dure, c'est plus facile à garder. Dès que viendra le printemps, je vais apprendre à nager — juste pour le cas où.

J'ai oublié de parler à Mr. Harms propos le mensonge j'ai dit à ce Waith pour sauver Spicy. Il faut que je me rappelle la prochaine fois.

Vendredi 16 décembre 1859

Il a mouillé toute la journée, une pluie froide qui tombait lentement. Un chien de temps. J'ai tenu compagnie à William dans sa chambre pendant un bout d'temps. On a joué avec Shadow. J'ai massé ses jambes en haut, en bas, en bas, en haut — pour qu'elles continuent à se dégourdir. Malheureusement, le traitement à l'eau chaude n'est pas très efficace. L'a juste aidé quelques autres doigts de pied à gigoter. Le reste du corps, c'est toujours pareil — le garçon est pas près de marcher. Pourtant, William, il est rudement de bonne humeur, tout le temps à pouffer. Peut-être que c'est la Noël toute proche qui le rend aussi heureux. Dr. Lamb est venu le voir hier. L'est resté pour le dîner. Quand y a du monde à dîner, même des gens aussi gentils que le Docteur Lamb, ça veut toujours dire plus de travail pour nous à la cuisine.

Samedi 17 décembre 1859

Mr. Harms me traite toujours comme si je 'xiste pas quand y a d'autres personnes autour de nous.

Il m'a laissé un exemplaire du journal *Le Libérateur*, publié par un abolitionniste nommé William Lloyd Garrison de la Boston. J'ai lu les pages à tante Tee et Spicy. Elles ont bien écouté chaque mot — des histoires propos les abolitionnistes noirs.

Y avait l'histoire d'une femme nommée Sojourner Truth qui fait des discours contre l'esclavage partout où elle va. Même quand les maîtres déclarent qu'ils vont la lapider à mort, elle continue à parler — craint rien,

Mardi 20 décembre 1859

Encore cinq jours avant la Noël.

Deux hommes — leur nom, c'est Campbelle — sont venus à Belmont aujourd'hui. Ils sont restés pour le souper. Le plus vieux Campbelle, trapu mais bien habillé, a des cheveux gris avec une moustache assortie. Le fils est plus grand, plus mince. Les Campbelle sont des cavaliers du Tennessee, pareil que Maît' Henley.

Pendant que je servais le café et les douceurs, j'essayais d'écouter. Je rassemble tous les morceaux, comme ça, je peux tout noter après.

– Nous vous observons depuis quelque temps, a dit Silas Campbelle, le vieil homme. Votre bougre a une façon de monter à cheval qui nous plaît bien.

– J'ai le meilleur jockey de toute la Virginie, a fanfaronné Maît' Henley.

– Ce serait un grand jockey en effet s'il avait une monture adéquate, a répondu Amos Campbelle, le fils. Nous avons le cheval qui convient. Il nous faut votre jockey.

– Que proposez-vous ?

– Nous voudrions acheter Hince.

Le cœur m'a manqué ! J'ai failli laisser tomber l'assiette avec les brioches grillées et beurrées, mais je les ai rattrapées juste avant qu'elles glissent du plateau et tombent par terre. Les hommes étaient trop occupés à parler pour faire attention à moi.

– Pas question. Je ne marche pas, a répondu Maît' Henley. Toutefois, je parie mon jockey contre votre cheval. Je perds, vous prenez Hince. Je gagne, je prends votre cheval.

– On fixe une date ?

– Le jour de l'an.

Plus tard

Quand je lui ai rapporté cette conversation, Hince, il a d'abord été abattu. C'était donc là toute l'opinion que Maît' Henley, il se faisait de lui.

– Comme ça, Maît' Henley, il m'a joué cont' le cheval des Campbelle ? il a dit en haussant les épaules avant de retourner étriller Can.

– Et si tu perds ? j'ai demandé.

Hince m'a répondu sur un ton plein de défi :

– Je perdrai pas. Big Can est un bon cheval, personne sait vraiment à quel point. Maît' Henley, a dû projeter ça depuis longtemps. Je comprends maint'nant pourquoi il m'a un peu freiné. Il m'a demandé de gagner sans laisser Can partir ventre à terre. Ça va nous donner un avantage sur les Campbelle.

Une fois ces mots exprimés, Hince a 'rêté de se tracasser. J'espère de tout mon cœur qu'il a raison, je prie pour ça. Tante Tee et surtout, surtout Spicy aussi. Hince, il *peut pas* perdre.

Jeudi 22 décembre 1859

Tous, on s'est rassemblés sous le porche pour regarder les lumières de l'arbre de Noël. Mais l'arbre me semblait pas aussi joli que d'habitude. C'est peut-être ce Waith qui nous gâche les Grands Jours.

Déjà, il habite ici, et ça suffit pour tout 'poisonner, mais en plus, il est allé voir Maît' Henley pour essayer de faire raccourcir notre semaine de dimanches — comme si chacun avait pas travaillé assez dur pour que la Grande Maison, elle est prête à temps. Il a dit, le commandeur :

– Avec toutes ces cavales en série, vaudrait mieux les laisser courbés sur leur ouvrage, comme ça ils auraient pas le temps de réfléchir sur la liberté.

Dieu merci, Maît' Henley, il a eu assez de bon sens pour comprendre qu'il aurait une révolte sur les bras si s'entêtait à nous priver de nos jours de congé entre Noël et la nouvelle année.

– Mais je vais vous dire, a ajouté Maître. Cette année, je n'accorderai aucun laissez-passer. Ça devrait décourager toute nouvelle tentative de fuite. Merci de penser à tout, Waith. Vous êtes un esprit prévoyant et un brave homme.

J'ai écrit à l'instant M-É-C-H-A-N-T dans les cendres. Méchant. Je vois Waith dans ma tête. L'image est claire, très claire. Ça va être un bien triste Noël pour les gens qui espéraient obtenir des laissez-passer, et aller enfin rendre visite à leurs bien-aimés dans les plantations du voisinage.

Samedi 24 décembre 1859, veille de Noël

J'ai été si occupée ces derniers jours j'ai pas trouvé une seule fois l'occasion d'écrire. Tout est prêt pour la Noël — à la Grande Maison comme ici, aux Quartiers. Même le temps, il s'est mis de notre côté, on dirait. Si y reste chaud comme aujourd'hui, on pourra manger notre dîner dehors.

Tout le monde est à la maison pour les fêtes. Mr. Harms a préféré rester ici plutôt que rentrer chez lui. Clarissa et son mari sont venus de Richmond pour passer la Noël ici. L'arbre, c'est dressé, les bas suspendus à la cheminée, et la crème prête pour le fameux cocktail de Maît' Henley.

La M'ame, elle a entonné les cantiques de Noël, et toute la famille a suivi. Dès que j'ai pu me sauver, j'ai rejoint tante Tee et Spicy dans les écuries. C'était là où les gens des Quartiers, ils avaient leur bambousse de veille de Noël. Tout ça évidemment sous les yeux à l'affût de Waith, le commandeur.

Tante Tee, elle lui a servi un verre de vin de pissenlit. Waith l'a tout bu, et après, il a mangé une grosse assiette de pieds d'cochon confits, une patate douce rôtie et une (grosse) part de gâteau cuit sous la cendre. Tante Tee, elle nous a fait un 'tit clin d'œil, à Spicy et à moi, parce qu'elle avait mis une drogue dans son vin.

Avant longtemps passé, on a regardé ce Waith. Il était roulé en boule comme un gros serpent — avait l'air endormi. L'a dormi pendant toute la soirée. Il a jamais deviné ce qui l'avait rendu si sommeilleux. Dieu soit loué pour les potions magiques de tante Tee, et la femme africaine qui lui a donné la recette !

Dimanche 25 décembre 1859, jour de Noël

C'est Noël – toute une journée de Noël. Cadeaux d'Noël, cadeaux d'Noël, on a crié sous la fenêtre de Maît' Henley première chose, ce matin. Après que les gens des Quartiers sont venus saluer la famille et chercher leurs petits cadeaux, ils sont tous retournés en courant chez eux pour commencer leur semaine de dimanches. Mais nous, à la cuisine, on a dû travailler jusqu'au soir – aller chercher des choses, transporter des choses, essuyer, nettoyer, et ci, et ça.

Aujourd'hui, Missy, elle a découvert un autre côté de M'ame Lilly. Elle avançait comme un escargot en se plaignant d'être obligée de travailler à la Noël – et vlan ! M'ame Lilly, elle lui a aussitôt flanqué un coup sur la tête. Missy, elle a eu le cœur blessé, parce que j'avais tout vu.

Tante Tee et Spicy, elles étaient pliées en quatre de rire quand je leur ai raconté l'air que Missy, elle avait :

les deux yeux sortis de la tête et la bouche en cul-de-poule — quel spectacle ! Ça lui pendait au nez après ce qu'elle avait fait à Hince.

Plus tard

Tout le monde à la Grande Maison est content, parce que William s'est mis debout tout seul aujourd'hui pour la première fois. Moi aussi, ça me fait très plaisir de le voir se lever tout seul. C'est donc pour ça qu'il était tout heureux. Il savait déjà. Mr. Harms a eu tas d'éloges. Même M'ame Lilly, elle a été obligée de reconnaître que le précepteur, il était pour quelque chose ladan. Maint'nant, un jour ou l'autre, William va faire quelques pas — sûr !

Je suis contente pour lui. Moi aussi, je l'ai beaucoup aidé. J'ai frictionné ses jambes et ses orteils et je lui ai tenu compagnie quand il était seul. Personne sait ce que j'ai fait — mais moi, je sais, et ça me rend tout heureuse à l'intérieur.

Lundi 26 décembre 1859

Aujourd'hui, c'est le premier des Grands Jours. Pas de travail pour les nègres des champs. Mais pour nous, les esclaves de maison, double travail — va me chercher ci, rapporte-moi ça, et ci et ça, et encore et encore. Mais hier, après qu'on a servi le grand repas de Noël pour les Henley et tout nettoyé, on est descendues à la grange où y avait une réunion.

Tante Tee, elle avait fait un gâteau avec tous les 'grédients j'avais chipés dans la cuisine pendant des semaines. Tous les anciens, ils étaient rangés comme des juges. Quelqu'un a commencé à marquer le rythme de la *juba* et à frapper des mains la mélodie. Puis les couples tout endimanchés sont arrivés en cortège, marchant fièrement la pavane du *cakewalk*, têtes en arrière, genoux très haut levés et pointes de pieds bien tendues. Hince et Spicy sont sortis les premiers du cortège en levant la jambe en l'air. Ils portaient des chemises assorties confectionnées par tante Tee avec l'étoffe que M'ame Lilly, elle avait distribuée. Tout le monde était bien obligé de dire qu'ils formaient un beau couple. Et en plus, ils savaient danser.

J'avais mis la robe de Man et le ruban rouge que Hince m'avait rapporté. Missy avait aussi une des robes de Clarissa. Mais la mienne, elle était mieux, parce que c'était Man qui l'avait cousue.

Tante Tee a permis, cette année, que je danse le *cake-walk* avec un autre garçon que Hince. Moi et Buddy Barnes, le cocher de Ma'ame Lilly, on a galopé ensemble. Me soulevait en l'air, me renversait en bas, d'un côté de l'autre, au milieu — et on repartait.

Buddy Barnes, il a dit :

– Tu es rud'ment jolie comme ça, Clotee.

Ma figure, elle est devenue toute brûlante et ma tête, elle s'est envolée. Elle était aussi légère que mes pieds quand ils dansaient avec Buddy Barnes. Aussi longtemps que je vivrai, j'oublierai jamais, jamais cette danse avec Buddy Barnes, même si c'est Spicy et Hince qui ont gagné le gâteau du concours. Ils en ont pris chacun juste une tranche, comme ça tout le monde a pu en avoir une 'tite bouchée.

Bien entendu, Missy s'est montrée mauvaise joueuse. Mais c'est elle seule qui se rend malheureuse à insister, insister encore et encore. Tout le monde connaît les sentiments que Spicy et Hince, ils ont l'un pour l'autre. Missy, elle devrait laisser tomber.

Vendredi 30 décembre 1859

La semaine des dimanches, elle a passé tellement vite. Comme presque toutes les vacances, elle a été remplie à craquer de travail — en haut, en bas. « Clotee, apporte-moi ci », « Clotee, emmène-moi ça ». « Clotee ». « Clotee. » Ah, si seulement je pouvais changer de nom ! Quand notre ouvrage, c'est enfin terminé, il est toujours tard, très tard. Eva Mae, elle était si fatiguée ce soir qu'elle s'est endormie pour de bon, là-haut dans la soupente. J'ai sorti tout doucement de la cuisine sans la réveiller.

Samedi 31 décembre 1859, veille du jour de l'an

À la Grande Maison, toutes les conversations, ça tourne autour de la course de demain. Les Campbelle sont ici avec leur cheval et leur jockey. Le cheval — Fils de Betty, il s'appelle — a l'allure d'un vrai champion. Le cavalier, il est pas plus haut qu'un garçonnet, mais il doit être chargé d'années — ça se voit sur sa figure. J'ai entendu un des Campbelle l'appeler Josh.

Plus tard

Les Campbelle ont amené avec eux trois de leurs esclaves qui logent à l'écurie avec Hince. Une chance pour nous, les filles : ça nous faisait trois bons cavaliers de plus. Missy, elle a jeté aussitôt son dévolu sur le jeune homme nommé Booker et elle se l'a réservé jusqu'à la fin de la soirée. Tante Tee, elle l'a traitée d'effrontée sans vergogne. J'ai gigué avec celui qui s'appelait Obie. Il était amusant et il avait un rire joyeux, mais comme danseur, il était loin de valoir Buddy Barnes. Celui qui s'appelait Shad semblait timide — il a pas dansé, pas parlé. Il est même parti avant la fin de soirée.

Après une des danses, la paille de la grange a commencé à me faire 'ternuer. Elle me fait toujours tousser et 'ternuer, cette paille. Tante Tee m'a emmenée respirer un peu d'air frais dehors avant m'envoyer chercher à la case du sirop pour la toux. En passant devant les écuries, j'ai vu Shad dans la stalle de Big Can.

Dimanche 1er janvier, Jour de l'an

Oh, mon Dieu ! Hince a perdu la course.

Du mieux que je peux le raconter, voici ce qui est arrivé

Ce matin, le temps était clair et ensoleillé, mais froid, pas un nuage dans le ciel. La course, elle partait du perron de Belmont, descendait jusqu'à la route — et retour –, longeait la Grande Maison, descendait jusqu'à la rivière — et retour — peu près huit cents mètres.

Dès le matin, des voitures à cheval bourrées de gens ont commencé à s'entasser dans le domaine. Au milieu de la matinée, y avait déjà des centaines de voitures. Quelques minutes avant midi, Hince, il a sorti Can des écuries pour l'emmener là-haut. J'ai bien vu que quelque chose allait pas. Can, il avait l'air agité, nerveux, peureux même — difficile à maîtriser. J'ai surpris une expression inquiète sur la figure de Hince. Ça m'a presque donné la chair de poule.

À midi juste, on a tiré un coup de fusil et Can, il s'est cabré, et il a perdu du temps. L'a jamais pu le rattraper, ce temps. L'autre cheval a gagné ! On était tous trop atterrés pour croire ce que nos yeux avaient vu. Hince, il était pas censé perdre.

Aussitôt, le garçon s'est mis à crier qu'on avait drogué Can. Il avait raison. Et je savais qui avait fait ça. Shad ! Je me suis précipitée à la rencontre de Maît' Henley en pointant tout le temps un doigt accusateur sur Shad et en criant :

– Je l'ai vu la nuit dernière dans la stalle de Can.

Maître, il m'a jeté un regard furibond.

– Si vous plaît, j'ai supplié, sauvez Hince. Shad a fait quelque chose à Can, je sais qu'il a fait ça. Je l'ai vu, c'est la pure vérité !

– Moi aussi, je l'ai vu, a ajouté tante Tee. Il a quitté la bambousse très tôt, hier soir.

Shad, il disait rien. Les Campbelle sont restés calmes.

Tout le monde a commencé à parler tout bas propos ce qui était arrivé pendant la course. Les Campbelle, ils ont fait venir plusieurs hommes — des bons cavaliers, tous — pour examiner Can. Rouse Mosby et Len Beans, ils ont déclaré :

– Après examen, rien, absolument rien, ne révèle que ce cheval a été drogué.

Est-ce qu'ils étaient aveugles ? Can, il était pas lui-même. Tout le monde le voyait bien — du moins, ceux qui voulaient bien le voir.

Les quelques secondes suivantes m'ont semblé durer des heures. Les Campbelle, ils ont affirmé que la course s'était passée dans les règles et qu'ils avaient gagné le pari. La foule a pris leur parti et s'est mise à crier des hourra.

– Vous m'avez trompé, Amos Campbelle, oui, vous m'avez bel et bien trompé, mais je ne peux malheureusement pas le prouver, a dit Maît' Henley, l'air très fâché, avant de leur ordonner de décamper immédiatement.

Les Campbelle ont soulevé leur chapeau en disant qu'ils avaient d'autres affaires à régler dans le pays avant de rentrer chez eux. Ils ont ajouté qu'ils reviendraient dans quelques semaines pour prendre Hince.

– Si vous plaît, M'ame Lilly, j'ai supplié, empêchez-les. J'ai vu Shad donner quelque chose à Can dans la grange. Je vous assure qu'il lui a donné quelque chose. Si vous plaît, aidez Hince. Laissez pas ces hommes l'emmener. Si vous plaît.

M'ame Lilly, elle m'a empoignée par le bras, direction la maison.

– Tu vas arrêter sur-le-champ toutes ces pleurnicheries, tu m'entends, avant que je te donne une bonne raison de pleurer. Tu peux dire ce que tu veux pour sauver ton Hince.

À travers mes larmes, je voyais ses yeux méchants, et je savais qu'elle ferait rien pour sauver Hince. Elle était bien trop contente de se débarrasser du garçon. C'est dur, très dur de pas détester M'ame Lilly. J'essaye quand même. Mais ce que je *déteste* de tout mon cœur, c'est la cruauté qui vit dans son âme.

Plus tard

Hince, il est comme fou – marche, marche, marche sans jamais s'arrêter. Dit qu'il veut pas aller avec les Campbelle, qu'il ira pas. Spicy, elle a pleuré toute la journée, était comme un chiffon à force de pleurer, les bras et les jambes comme si cassés.

– J'espère que Hince s'a pas mis en tête une idée folle comme de s'ensauver, a dit tante Tee.

J'espère aussi. Je dois à tout prix faire quelque chose, mais quoi ? À quoi bon connaître des choses si on peut pas s'en servir quand on en a besoin ? Je sais lire et écrire, mais ça peut pas aider Hince. J'ai l'impression que ma tête, elle est dans la gueule du lion, mais il faut que je suis comme Daniel. Pas avoir peur.

Jeudi 5 janvier 1860

Ce qui devait arriver est arrivé ! Mr. Harms, il a été démasqué. Hince a jasé. Comment il pouvait être au courant ?

Plus tard

Nous sommes tous là, dans la case de tante Tee. J'essaye de noter tout ce qui s'est passé, comme ça on oubliera jamais.

Spicy, elle avait parlé à Hince propos Mr. Harms et moi, propos Na-qu'un-œil et même propos les abolitionnistes — elle lui avait tout dit — tout. M'a demandé de lui pardonner.

–J'avais confiance en lui. J'ai jamais pensé qu'il allait dénoncer le pauvre Mr. Harms.

Moi non plus, j'aurais jamais compté Hince au nombre des mouchards. Ça me brise le cœur de savoir qu'il a mouchardé.

Est-ce que Hince, il me dénoncerait, moi aussi, s'il était vraiment aux abois ?

Encore plus tard

Hince est venu à la case tante Tee après le dernier repas, juste quand il était sûr qu'on serait là toutes les trois.

–Je vais pas dans le Sud profond avec les Campbelle, a dit Hince, je peux pas, je veux pas. Et pourquoi est-ce que je me ferais souci propos un homme blanc ? C'est sa vie ou la mienne.

Ces mots, ils ressemblaient pas à notre Hince. Il devait être effrayé. Je l'aurais été aussi si j'avais dû partir pour le Sud profond.

Pendant ce temps, tante Tee, elle arrêtait pas de tourner dans sa marmite. Tante Tee, elle a fini par dire :

– Partir de cette façon pour le pays la liberté, ce serait prendre un chemin bien amer. Mr. Harms, c'est peut-être un Blanc mais il est venu ici pour aider les gens comme nous. Honte à celui qui causerait sa perte.

– Qu'est-ce que je suis censé faire ?

– Tu dois arranger ça, d'une manière ou d'une autre. Oh, mon fils, a continué tante Tee avec une prière dans la voix, si tu dois arriver au pays la liberté, que ce soit pas sur une rivière de sang innocent — ou bien c'est ton cœur et ton âme qui tourneront à l'aigre.

Hince, il a baissé la tête.

– Je m'en vas pas dans le Sud profond, je veux pas, et y a pas d'autre solution. Je suis vraiment désolé pour Mr. Harms, mais c'est lui ou moi, et maint'nant, faut que je pense à moi.

Hince, il a regardé Spicy. Elle a rien dit.

J'étais du côté de tante Tee. Mr. Harms aurait pu me dénoncer pour se faire bien voir de M'ame Lilly et Maît' Henley. Jamais il a fait ça. Je lui dois quelque chose. Je vais 'sayer de l'aider.

Maint'nant que j'ai étudié l'affaire pendant un 'tit moment, je sais que je peux pas accuser Hince d'avoir une paille dans l'œil si j'ai une poutre dans le mien. J'ai rien à dire, j'ai dénoncé Shad parce que j'ai cru que ça pourrait sauver Hince. Et ça m'était bien égal. Et maint'nant, Hince, eh bien, il se sert de ce qu'il sait pour négocier avec Maît' Henley sa liberté. Il veut pas aller dans le Sud profond. Il veut à tout prix être libre, et je le comprends, mais dénoncer Mr. Harms, c'est pas le bon moyen — c'est très mal.

Maint'nant, j'ai l'impression que nous sommes les Israélites devant la mer Rouge. Pharaon et son armée arrivent avec leurs chariots, et on est pris au piège, coincés entre les Égyptiens et les eaux. Mr. Harms est ligoté dans le bureau en attendant que le shérif, il vient. On a besoin que Dieu, il repousse les eaux pour qu'on puisse passer de l'autre côté, sur la terre sèche. On a besoin d'un plan.

Vendredi 6 janvier 1860

On a un plan pour sauver Mr. Harms. Ça marchera ou ça marchera pas, mais il faut qu'on essaye. On peut pas le laisser mourir comme ça.

Mon Dieu, je te prie, aide-nous comme tu l'as fait pour les trois garçons dans la fournaise de feu ardent !

Samedi 7 janvier 1860

Je tremble encore de froid et de peur. Il a neigé toute la nuit, aussi le shérif est pas arrivé à Belmont avant l'après-midi. Voici ce qui s'est passé.

Le shérif et Waith sont venus à la Grande Maison. Spicy et moi, on s'est glissées par la porte de service et on s'est cachées dans l'office d'où on pouvait voir et entendre tout ce qui se passait dans le grand salon. Si Mr. Harms avait peur, tout cas, il le montrait pas. Mais il avait l'air aussi bizarre que le jour où j'ai posé mes yeux sur lui pour la première fois. Il donnait pas du tout l'image du vrai abolitionniste hardi et courageux.

Juste comme on l'avait décidé un peu plus tôt dans la case, Hince a dit qu'il avait vu Mr. Harms parler avec Na-qu'un-œil près de la rivière.

– Vous savez, l'homme borgne qui aide les esclaves à s'ensauver, il a ajouté.

Hince, il avait fait du bon travail. Mr. Harms a répliqué que c'était faux.

– Je ne connais aucun borgne.

Très bien. C'était exactement la réponse qu'on attendait.

Puis le tour de Spicy est arrivé. Il était temps qu'elle entre. Elle était très, très nerveuse — deux fois, j'ai dû la pousser. Alors elle s'est précipitée dans la pièce en criant :

– Oh, si vous plaît, Maît' Henley, épargnez Mr. Harms.

Il a rien fait de mal. C'est juste Hince qui ment — il est jaloux, vous comprenez, jaloux de moi... et de Mr. Harms. Dis-leur, Hince. Dis-leur.

Spicy, elle jouait même encore mieux la comédie que quand on s'était entraînées dans la case. J'ai prié : « Seigneur, faites que Mr. Harms, il comprend ce qu'on est en train de faire. » J'avais encore jamais trouvé l'occasion de lui parler de l'histoire que j'avais racontée à Waith propos Spicy et lui.

– Non, non, c'est moi qui dis la vérité, s'est écrié Hince, juste au bon moment.

Le silence est tombé sur le salon. Maît' Henley, il était bouche bée, et on aurait pu faire tomber M'ame Lilly d'un 'tit coup de balai.

– Ici, à Belmont ? J'ai honte, tellement honte, elle a dit en poussant un profond soupir.

Mr. Harms, il est resté tranquille comme Baptiste.

Le shérif se balançait d'un pied sur l'autre.

– Nous avons donc deux nègres avec deux histoires différentes. Où est la vérité ladan ? Est-ce que vous et cette fille, vous avez été ensemble ?

Mr. Harms a pas voulu répondre. Waith s'est penché vers Maît' Henley.

– Eh bien... j'ai entendu dire que Harms avait repéré cette fille et qu'il se l'était réservée pour lui tout seul.

Jusque-là, les choses se déroulaient exactement comme on l'avait espéré. Mais ce qui s'est passé ensuite m'a vraiment surprise.

– Spicy dit la vérité ! a hurlé William du seuil la porte. Je l'ai souvent vue entrer dans la chambre de Mr. Harms. J'ai aussi entendu Spicy et Hince se disputer dans les écuries. Peut-être que Hince, il ment, parce qu'il est jaloux.

Voilà juste ce qui nous manquait : la parole de deux hommes blancs — et peu importe si l'un d'eux était un jeune garçon. Le shérif, il a délié Mr. Harms en disant qu'il ne l'arrêterait pas — y avait pas assez de preuves.

Maint'nant, c'était mon tour de pousser un soupir. On avait réussi ! On avait sauvé Mr. Harms. On aurait tué Goliath, j'aurais eu exactement la même impression.

Plus tard

Après le départ du shérif, Maît' Henley, il a giflé Spicy si fort qu'elle a tombé et glissé jusqu'à l'autre bout d'la pièce pour aller se cogner la tête contre le mur. Dans tout le vaste monde, je crois qu'y a pas une personne aussi courageuse que Spicy. Me demande qui aurait osé faire ce qu'elle a fait. Elle est encore plus courageuse que Sojourner Truth et tous les abolitionnistes réunis. Spicy savait qu'elle allait sans doute être punie, mais elle était prête à subir le fouet pour sauver Mr. Harms.

J'ai vu Hince fermer les yeux et serrer les poings. Il était sur le point de franchir la barrière. J'ai prié : « Seigneur, aide-le à se retenir. »

Ah oui, je me rappelle maint'nant quand Kip, l'esclave de Mr. Barclay, il a passé de l'autre côté. Il s'est mis dans une colère folle contre son maître, lui a 'raché le fouet des mains et a battu son propre maît' avec. Les Blancs ont pendu Kip, mais Kip, il est mort, le sourire aux lèvres. Temps en temps, les gens, ils en ont assez d'être battus, frappés, maltraités. Ils sont fatigués de voir leurs bien-aimés giflés en pleine figure et obligés de se tuer à la tâche pour être mal nourris. Je l'ai vu, Hince, il était rudement près de sauter la barrière, quand Maît' Henley a cogné Spicy tellement dur. Mais il s'est retenu, parce que le plan, ça marchait.

Mr. Harms a pas fait un mouvement. Il avait même pas l'air de respirer ou à peine. Je crois pas que je respirais non plus.

– Quel genre de sudiste êtes-vous donc ? a demandé Maît' Henley en crachant presque ses mots. Je vous accueille dans ma maison et vous abusez d'une de mes filles, après quoi vous vous avisez de dérober ce qui m'appartient et d'embarquer en douce la marchandise sur quelque maudit chemin de fer souterrain.

– Je suis précepteur, Monsieur...

– Non. Non, s'est écrié Maît' Henley, lui coupant la parole. Je crois, pour ma part, que Hince a dit la vérité.

C'était exactement ce que j'espérais entendre. Maint'nant, je pouvais enfin respirer.

– J'en suis même sûr, il a continué. Voulez-vous que je vous dise pourquoi ? Eh bien, Hince ne veut pas quitter Belmont, sa seule maison. Vous, les abolitionnistes, vous êtes incapables de comprendre ça et vous ne le comprendrez jamais. Nos esclaves nous aiment. Ils ne songeraient même pas à s'enfuir si vous autres, vous ne veniez ici pour les exciter avec vos damnées idées de liberté — la liberté pour quoi faire ? Les esclaves sont comme des enfants, incapables de se prendre en charge.

Hince et Mr. Harms disaient rien. C'était plus sage. Ils laissaient juste Maît' Henley continuer à bavarder et bavarder, tâchant de se persuader lui-même que les esclaves étaient heureux d'être esclaves.

Alors M'ame Lilly, elle s'est levée.

– Vous avez aidé mon fils. Voilà pourquoi j'ai empêché mon mari de vous tuer. Aussi, la meilleure chose à faire pour vous, Monsieur, c'est de quitter Belmont le plus vite possible, avant que je change d'avis.

Et M'ame Lilly, elle est sortie majestueusement de la pièce avec ses jupons qui faisaient frou-frou.

Jusque-là, notre plan avait marché — d'un bout à l'autre.

Samedi soir, tard

William et moi, on était les seuls debout sur le porche — gelés mais blottis l'un contre l'autre — à regarder Mr. Harms charger son boghei. Tante Tee, Spicy et moi, on savait toutes les trois que William avait menti pour sauver Mr. Harms. Il avait pas vu Spicy entrer dans la chambre de Mr. Harms, parce qu'elle n'y était jamais entrée. Il avait pas vu Hince et Spicy se disputer, parce que Hince et Spicy se disputaient jamais (ah, si, une fois ! Mais c'était pas dans les écuries). William sait que je sais qu'il a menti, mais jamais on parlera de ça, j'en suis sûre.

William, il est un peu triste quelque part, et c'est bien naturel. En plus de tout le reste, Mr. Harms était un très bon professeur. Waith se tenait debout dans l'allée, près d'une grande pile de livres. Il a gardé pointé le canon de son fusil en direction de la tête de Mr. Harms, pendant que celui-ci grimpait dans le boghei.

– Puis-je avoir mes livres, s'il vous plaît ? À quoi bon les brûler ?

Sur un signal de Maît' Henley, Waith a craqué une allumette. Les livres du précepteur, ils sont partis en flammes. En même temps, Waith a fouetté le cheval, et le boghei a fait un grand bond avant de s'engager dans l'allée. C'était un étrange spectacle, un peu comme le jour de l'arrivée de Mr. Harms, quand je l'avais vu remonter l'allée de Belmont pour la première fois. J'étais désolée de le voir partir mais si contente qu'il soit vivant !

Dimanche 8 janvier 1860

Tante Tee m'a demandé au moins dix fois de raconter ce qui s'était passé. Et chaque fois quand j'arrivais au moment où Spicy, elle est frappée, elle disait :

– Dieu te bénisse, ma fille !

Les yeux de Spicy, ils sont tout enflés, mais tante Tee, elle la soigne bien.

– Où as-tu trouvé tout ce courage ? j'ai demandé.

– J'espère que j'ai été aussi courageuse que toi, tu as été intelligente. C'était ton idée. J'ai fait seulement ce que tu m'as dit de faire, même si j'étais morte de peur.

Plus tard

Missy, elle peut pas s'arrêter de parler propos Spicy. Cette Spicy, c'est une pas-bonne ; Hince, jamais il voudra d'une fille comme ça ! Et ci, et ça, et patati ! et patata ! Si seulement Missy savait...

Lundi 9 janvier 1860

Y a pas un froid comme le froid de janvier, il vous pénètre jusque dans les os. Y a pas de feu assez chaud pour lutter contre les coups de froid de ce janvier.

Chercher quelque chose à manger et un endroit chaud pour manger : c'est à ça que les nègres de houe passent tout leur temps libre en janvier. Et la plupart des petits enfants des Quartiers, ils n'ont ni chaussures ni vêtements chauds. Les Mans, elles défilent chez tante Tee pour se procurer des baumes et des potions à base de plantes. J'ai travaillé dur à la cuisine et à la Grande Maison, et j'ai chapardé tout plein de nourriture.

Mardi 10 janvier 1860

Aujourd'hui, M'ame Lilly m'a fait monter dans sa chambre.

– Pourquoi tu m'as rien dit propos Spicy et Mr. Harms ? elle m'a demandé soudain.

– Je savais pas.

Elle m'a escoué les épaules. Puis elle a continué en soupirant :

– Si seulement tu voulais, Clotee, tu pourrais être mon enfant gâtée, ma favorite. Tu es si intelligente, si charmante, tout à fait comme ta Maman. Sais-tu qu'on était les meilleures amies du monde, toujours à rire et à rire comme deux bécasses. Et puis on a grandi. Elle faisait les robes les plus jolies du monde pour mes sœurs et moi.

– Et alors vous l'avez laissée partir...

Mon Dieu, aidez-moi à fermer mon bec.

M'ame Lilly, elle a fixé sur moi un regard dur, très dur.

– Va, va maint'nant, fiche le camp d'ici, elle a dit, tu ne sers à rien.

Mercredi 11 janvier 1860

Fidèle à sa promesse, Maît' Henley a affranchi Hince aujourd'hui. Pendant que je faisais les poussières, y a quelques jours, j'ai chipé du papier dans le bureau. Comme ça, j'ai pu faire deux copies – une copie de la manière dont on rédige un document d'affranchissement et une copie de la signature de Maît' Henley. Mais Hince, il ne peut pas partir tout de suite, parce qu'il faut d'abord porter les papiers au tribunal.

Dimanche

Maint'nant que Mr. Harms n'est plus là et que les leçons, c'est fini, je peux plus savoir la date. Tout cas, aujourd'hui, on est dimanche.

Missy, elle s'a arrangée pour que tout le monde aux Quartiers pense que Spicy, c'est une fille de rien, une pas-bonne. Hince va garder ses distances pendant quelque temps. Du moment que Spicy et Hince, ils connaissent la vérité vraie, c'est le plus important.

La marmite de tante Tee, elle est presque vide. Y a même plus de quoi confectionner un maigre repas pour nous trois — encore moins pour quelqu'un d'autre. Pourtant, elle essaye toujours. On partage tout ce qu'on a. Tante Tee, elle dit :

– Cette plantation, elle fait de nous tous des frères. Pas par le sang mais par la souffrance on a endurée ensemble.

Dans le froid de janvier

Mes doigts sont froids, mes pieds sont froids, mon nez est froid. Je tousse tout le temps. J'ai mal à la tête. C'est l'hiver le plus froid de toute ma vie. Même près du feu, je peux pas me réchauffer.

Dans la soupente au-dessus de la cuisine, c'était toujours chaud et confortable mais pas ici dans la case. Je dors par à-coups et me réveille fatiguée. Je vais parler à M'ame Lilly propos les vieilles couvertures dans le grenier de la Grande Maison : est-ce qu'on pourrait pas les avoir ?

Ce soir, tout le monde s'a rassemblé autour de tante Tee. On dirait que les gens puisent un peu d'espoir dans son courage. Quelqu'un a chanté :

Des lapins farouches dans la bruyère,
Un écureuil dans l'arbre,
Ah, si je pouvais partir à la chasse !
- Mais je suis pas libre.
Le renard, il est dans le poulailler,
La poule, elle est dans le 'tit champ,
Ah, si je pouvais donner un coup d'fisil !
- Mais je suis pas libre.

– On va manger demain, elle a dit, tante Tee. Vous tracassez pas.

Le lendemain

Plupart le temps, M'ame Lilly, elle est froide et méchante. Mais aujourd'hui, elle a trouvé un 'tit morceau tendre caché dans une poche de son cœur. Je lui ai raconté que la vie aux Quartiers, c'était terrible en ce moment. L'hiver est très rude, j'ai expliqué. Alors elle nous a permis d'emmener aux Quartiers des courtepointes, des chemises et des chaussures. Des boîtes et des boîtes remplies de choses. C'était comme si les Grands Jours étaient revenus.

Pendant que M'ame Lilly, elle était occupée avec moi au grenier, tante Tee, elle a 'trapé en douce deux gallines et leur a tordu le cou. Les deux poules, elles se sont retrouvées dans la marmite avant que quelqu'un a eu le temps de dire « *ouf* ». Tante Tee, elle a été fidèle à sa promesse. Ce soir, on a bien mangé.

Un jour ou deux plus tard

J'ai mal à la tête. Mal aux bras et aux jambes. J'ai même mal aux dents. Je peux plus écrire.

Au début de février

Je connais pas quel jour de la semaine on est. Il paraît que j'ai été très malade avec une méchante fièvre. Tante Tee et Spicy, elles m'ont donné des tisanes et des baumes, mais je crois que c'est l'amour de Man qui m'a tirée de là.

Un jour je délirais dans ma fièvre, et Man est venue près de moi ; elle était si douce et affectueuse. Elle a dit :

– Porte-toi bien, ma fille. Vis et deviens forte.

Puis elle a ajouté quelque chose de mystérieux qui m'a vraiment fait réfléchir. C'était quelque chose que Rufus répétait souvent :

– À celui qui a beaucoup reçu de Dieu, à celui-là, il sera beaucoup demandé.

Puis dans mon rêve j'ai vu Rufus debout aux côtés de Man. Il disait :

– Le Seigneur t'a beaucoup donné, Clotee. Tu sais lire et écrire, alors que les autres connaissent pas. Maint'nant, il faut utiliser tes talents. En faire bon usage.

Oui, mais quel usage ?

Une semaine plus tard

Je me sens un peu mieux chaque jour. Mon cœur, c'est toujours barbouillé. Mais j'ai retourné travailler à la cuisine et à la Grande Maison.

Après que les plats du repas de midi, c'était nettoyé, je suis allée marcher dans les bois. Il fait beaucoup moins froid. La neige, elle a presque toute fondue. J'ai passé devant le cimetière et je suis restée une minute avec onc' Heb. Je m'ai rappelé Rufus et Aggie, Wook, et *Baby* Noé qui a jamais eu l'occasion de vivre. Puis je suis descendue vers la rivière.

J'ai écrit L.I.B.E.R.T.É dans la boue. Y a toujours pas d'image. Peut-être que mon rêve, il voulait dire : « Clotee, tu dois t'enfuir à la Philadelphie, la New-York ou la Boston, et une fois là-bas, mettre tes talents au service des abolitionnistes. » C'est vraiment ça que je dois faire, Man ? Mais comment m'ensauver ?

Lundi

Je connais que c'est lundi, parce que M'ame Lilly, elle est venue à la cuisine pour distribuer la farine, la semoule de maïs et le sucre. Elle a donné à Missy un joli fichu pour mettre sur sa tête, avant de passer devant moi, les yeux en l'air, avec sa robe qui faisait frou-frou. Tout d'un coup, j'ai compris quelque chose. M'ame Lilly, elle est comme une stupide petite fille gâtée qui joue à des stupides jeux avec la vie des gens. Une petite fille dans le corps d'une grande femme. Quelle pitié !

Mardi

C'est le dégel. On a eu une journée presque chaude. Mais tante Tee, elle dit que c'est une tromperie. Je m'ai promenée du côté où j'avais vu Mr. Harms parler à Na-qu'un-œil. Comme ça. Pour rien.

Et tout d'un coup, j'ai entendu des feuilles craquer sous mes pieds. Je m'ai arrêtée et je suis restée clouée sur place, à écouter et à attendre Dieu sait quoi.

– Par ici, Clotee. C'est moi, Mr. Harms.

J'étais si contente de voir Mr. Harms, je lui ai dit. M'a demandé ce que je faisais là.

– Je sais pas, Missié. Je suis venue juste comme ça.

Toute ma vie, je penserai que Man, elle a guidé mes pas jusqu'ici.

– Je croyais que vous étiez déjà arrivé à la Boston maint'nant, j'ai ajouté.

– Non, a répondu Mr. Harms en riant. Mais c'est ma dernière évasion. Mon associé et moi, nous sommes beaucoup trop connus dans la région. Une fois que nous aurons emmené le dernier groupe en lieu sûr, je quitterai le pays.

– Alors qui sera le guide ici à Belmont ? j'ai demandé.

– Nous n'aurons plus de guide ici. C'est vraiment dommage, car Belmont est un maillon important du chemin de fer.

Les abolitionnistes trouveront quelqu'un, n'est-ce pas ?

– Missié, j'ai dit en me redressant, je veux partir avec vous pour le pays de la liberté. Je travaillerai dur et j'aiderai les abolitionnistes toutes les façons je peux. Si vous plaît, dites que je peux venir.

– Clotee, tu n'as pas besoin de me supplier. Bien entendu, tu peux venir. Viens ici la prochaine nuit sans lune. Prends de l'eau fraîche mais voyage léger — emporte juste ce dont tu as besoin. C'est un voyage dangereux, Clotee. Mais le danger n'est pas un inconnu pour toi. Tu es une fille remarquable, et nous, les abolitionnistes, nous serons fiers de t'avoir dans nos rangs.

Et Mr. Harms, il m'a embrassée.

– Prends soin de toi, petite Clotee. Remercie Spicy pour ce qu'elle a fait. J'ai le sentiment que tu y étais pour quelque chose, toi aussi.

J'ai hoché la tête. Mr. Harms, il a continué :

– Dis à Hince que je ne lui ai pas gardé rancune. À sa place, j'aurais peut-être fait la même chose. Et si c'est possible, il a 'jouté après un silence, trouve un moyen quelconque de remercier William.

Mercredi

J'ai parlé à tante Tee et Spicy de ma rencontre avec Mr. Harms et j'ai même dit qu'il était en train d'organiser une autre évasion pour la prochaine nuit sans lune. Mais j'ai beau faire tous mes efforts, j'arrive pas à décider tante Tee à m'accompagner. Spicy, elle, voudrait venir, parce que Hince, il est sur le point de partir — il doit juste attendre ses papiers.

–Je suis trop vieille, ma fille, elle a dit. Et puis je peux pas quitter onc' Heb. J'ai vécu avec lui, je serai aussi enterrée à côté de lui. Mais toi, vas-y, ma doudou. Pars pour ce pays de liberté, celui qui est sur la terre.

Partir sans tante Tee ? Ce serait comme perdre Man une seconde fois.

Le lendemain

Les Campbelle se sont arrêtés à Belmont sur le chemin du retour dans le Sud profond.

– Nous sommes venus chercher ce qui nous appartient, a dit Silas Campbelle.

– Hince est un homme libre à présent, a répondu Maît' Henley.

J'étais après astiquer la poignée de porte en cuivre du bureau de Maître, et j'ai dû bâcler affreux mon travail tellement j'essayais d'entendre ce qu'ils disaient.

– Vous n'aviez pas le droit de vendre ce qui ne vous appartenait pas.

– Eh bien, en ce cas, citez-moi en justice.

– C'est bien notre intention, ont répliqué les Campbelle — et ils sont sortis comme des ouragans de la maison.

Et maintenant, qu'est-ce qu'on va faire ?

Encore lundi

Depuis que Mr. Harms est parti, la M'ame, elle essaye de le remplacer. Elle espère que William pourra entrer à l'école d'Overton grâce à son enseignement. Je crois qu'il vaudrait mieux dire : « désenseignement ». William veut pas en entendre parler. Maint'nant, il circule correct joli avec deux cannes ; très bientôt, il en aura plus besoin.

Quand William a vu que je l'observais, il m'a fait un signe de la main. Un peu plus tard, je suis passée lui dire un petit bonjour dans sa chambre. Il jouait avec Shadow.

– Si Mr. Harms en avait eu le temps, il vous aurait remercié, j'ai dit.

– J'en suis sûr, a répondu William.

Je pense que le message a été bien reçu.

Une semaine plus tard

Aujourd'hui, j'écris le cœur lourd, très lourd. Le juge a déclaré que Hince n'était pas libre, parce qu'il n'appartenait plus à Maît' Henley quand celui-ci l'a affranchi.

– Le certificat d'affranchissement écrit par Mr. Henley ne vaut pas un cheval boiteux, il a ajouté.

Les Campbelle vont venir chercher Hince lundi prochain sur le chemin du retour. J'ai pleuré toutes les larmes de mes yeux. Tante Tee et Spicy aussi. Mais faut qu'on arrête de pleurer et qu'on commence à réfléchir.

Lundi (j'espère)

Juste au moment où vous finissez par vous dire que les choses, elles peuvent pas être pires, une nouvelle catastrophe survient. Le temps, c'est tout pareil. L'a voulu nous faire croire que le printemps était presque là, que c'en était fini du mauvais temps. Pourtant, il a neigé aujourd'hui toute la journée.

Pendant que je faisais les poussières du bureau de Maît' Henley, je suis tombée sur un papier. Et ce papier disait que le Maître, il vendait Spicy à un homme d'Alabama — s'appelle Mobile, cet homme. On va venir la prendre mardi prochain.

Spicy et Hince ont déclaré qu'ils refusaient d'être séparés — préféraient mourir. À entendre des propos pareils, j'ai senti des frissons glacés me parcourir le dos.

– Qu'est-ce qu'on va faire ? a demandé Spicy d'une voix qui me fendait le cœur. C'est toi qui as eu l'idée pour sauver Mr. Harms. Tu peux pas trouver un moyen de nous sauver aussi, Hince et moi ?

Y a des abolitionnistes et des conducteurs sur le chemin de fer souterrain qui veulent bien nous aider, mais on peut pas les attendre — on n'a pas le temps. Cette fois, on doit se débrouiller tout seuls. Il faut dresser un plan d'évasion.

Samedi

J'étais en train de lire la Bible de Spicy quand je suis tombée sur une page où quelqu'un avait écrit : « Ma *baby girl* est née le 28 février 1844. »

J'ai montré la page à Spicy.

– C'est Man qui a dû écrire ça, a dit Spicy en touchant les mots du bout des doigts. Elle connaissait lire et écrire comme toi, Clotee.

– Et comme toi, Spicy. Tu as appris à écrire ton nom et plein d'autres mots. Si tu continues à t'exercer, tu écriras vraiment bien.

– Ma Man, elle voulait m'appeler Rose, a ajouté Spicy.

Alors j'ai écrit dans sa Bible : « *Le vrai nom de Spicy, c'est Rose.* »

– Tu crois que tout est vrai dans la Bible ? j'ai demandé.

Elle a hoché la tête. J'ai poursuivi :

– J'ai écrit ton vrai nom dans ta Bible. Le nom que ta Man, elle voulait te donner. ROSE. À partir de maint'nant, tu es Rose.

Dimanche matin, très tôt, peu après minuit

Un terrible orage a éclaté cette nuit. Il continue à faire rage dehors. On a été obligés de reporter l'évasion. Mais il faudra partir demain au plus tard.

Lundi

Ce matin, première lueur du jour, j'ai mis mon plan à exécution. On a déguisé Spicy en garçon. Je lui ai donné un baluchon.

– C'est notre patchwork, j'ai expliqué. Je crois que tu devrais le garder.

Elle a pas eu le temps de faire des histoires propos d'ça.

Hince, il ressemble tellement à un Blanc qu'on l'a habillé avec un vieux costume de Maît' Henley que j'avais chipé au grenier.

– C'est la première fois je mets un complet, a dit notre Hince.

Alors, tante Tee et moi, on lui a fourré la Bible de Spicy sous le bras.

– Comme ça, tu as l'air d'un prédicateur pour de vrai ! a taquiné tante Tee en les embrassant tous les deux.

Après quoi, elle leur a donné un petit pain de maïs et de l'eau pour une journée.

C'était l'heure de partir.

– Et maint'nant, vous savez ce que vous devez faire ?

Exactement comme on l'avait décidé, on s'est glissés sans bruit jusqu'à la grange, et Hince, il a sauté sur le dos de Big Can. En prenant bien garde à pas faire un seul bruit, je les ai aidés à gagner la rivière en les conduisant à travers les bois, puis le long du cimetière. Je leur avais déjà fait mes adieux, alors je les ai juste regardés tous les trois — le Blanc, l'esclave et le cheval — longer la berge dans le sens du courant avant de disparaître.

J'ai filé, ni vu ni connu, de l'autre côté des vergers pour me glisser dans la case, et là, tante Tee et moi, on est restées assises serrées l'une contre l'autre jusqu'au petit jour. J'avais enfin cessé de trembler.

Mardi

Personne s'est aperçu de la disparition de Hince et Spicy avant le lundi, quand les deux Campbelle, ils sont venus chercher Hince. Alors Maît' Henley est entré comme une tornade dans la case de tante Tee, voulait savoir sur-le-champ où Hince et Spicy, ils étaient allés.

Tante Tee est restée calme.

– Pas la moindre idée. On est allés se coucher tous en même temps et quand on s'a réveillés... pareil que vous — on a vu qu'ils étaient partis.

– Je ne crois pas un mot de ce que tu dis. Je n'ai confiance en aucun de vous..., a continué Maît' Henley en hurlant.

Les Campbelle ont pas eu l'air trop chagrinés.

– Bon. Très bien. En ce cas, nous prendrons Canterbury.

Mais quand ils sont allés chercher le cheval, y avait pas de cheval — Can, lui aussi, s'était envolé ! Alors les Campbelle ont déclaré que Maît' Henley, il essayait de les tromper, ajoutant qu'ils allaient le citer en justice.

Maît' Henley s'est mis à parler toute vitesse.

– Je vais vous dédommager de vos pertes, il a dit, et de tous les désag... (peu importe le mot compliqué c'était) que j'ai pu vous causer.

– En liquide, a déclaré Silas Campbelle. Pas de reconnaissance de dette.

Peu de temps après, les marchands d'esclaves sont venus chercher Spicy.

– Le bougre et la fille ont pris la fuite, a expliqué Maît' Henley.

Il a été obligé de rendre aux esclavagistes l'argent de la vente de Spicy.

Très bien. Maît', il l'a pas volé ! J'ai été sur un petit nuage toute la matinée. William et M'ame Lilly sont sortis sur le porche. Les gens des Quartiers se rassemblaient aussi pour voir ce qui se passait. M'ame Lilly, elle défaillait, mais personne s'est tracassé pour la rattraper quand elle est tombée évanouie.

Maît' Henley et Waith sont partis à la recherche de Spicy et Hince, mais ils étaient déjà loin. Je me sentais aussi heureuse que Daniel et David réunis.

Le lendemain

J'ai bien observé le soleil aujourd'hui. Il a changé. J'ai l'impression que cette fois, l'hiver est terminé, presque. On aura peut-être encore des jours froids, mais les temps cruels sont derrière nous. On a réussi à les traverser – de bien des façons.

Le lendemain

Maît' Henley est rentré de sa chasse en prétendant qu'il avait trouvé Spicy et Hince et qu'il les avait tués tous les deux. Mais il n'a montré aucune preuve. Et d'abord, où était Big Can ? Si Maître les avait vraiment attrapés, il aurait ramené le cheval — sûr ! Je le crois pas. Je veux pas le croire. Spicy et Hince ont réussi leur évasion. S'ils avaient pas réussi, je le sentirais.

Le lendemain

La nuit sans lune est toute proche. Ce sera alors le moment pour moi de m'ensauver au pays la liberté. Je devrais être heureuse. Je suis une abolitionniste et je veux mettre fin à l'esclavage. Et comment faire si je suis toujours une esclave enchaînée à une plantation ? Est-ce que c'est possible ?

Plus tard

Mr. Harms dit qu'ici, à Belmont, y aura pas de conducteur sur le chemin de fer souterrain. Si cette station ferme, qu'est-ce qui va arriver aux fugitifs qui passent par ici ? Certains seront peut-être rattrapés, d'autres se noieront peut-être comme Rufus, Aggie, Wook, et *baby* Noé. Mais si y avait quelqu'un ici pour aider ces gens — pour leur montrer la route...

Plus tard

Cette station peut pas fermer.

Nuit sans lune

Une nuit sans lune, c'est 'frayant, surtout dans les bois quand le temps est couvert.

Je me suis mise à chanter le chant du chemin de fer souterrain, le chant du signal :

Fleuve profond, sombre rivière,
Seigneur, fais-moi traverser...

Mr. Harms est venu à ma rencontre comme convenu. Il m'a fait peur en surgissant de l'obscurité comme un fantôme. J'ai aperçu les fugitifs pelotonnés les uns contre les autres, redoutant ce qu'ils laissaient derrière eux et appréhendant ce qui les attendait.

– Spicy et Hince, ils viennent pas, j'ai dit. Et je lui ai raconté comment je les avais aidés à s'ensauver.

– J'ai entendu parler de leur évasion.

Mr. Harms était donc déjà au courant ?

– Est-ce qu'ils sont sains et saufs ?

J'avais le cœur qui cognait à grands coups à force m'interroger et me faire du souci. Mais je préfère avoir une mauvaise nouvelle plutôt que rester dans l'ignorance.

– Nos conducteurs m'ont dit qu'ils étaient déjà sur les eaux du Nord, en route pour le Canada. Où es-tu donc allée chercher une aussi bonne idée ? m'a demandé Mr. Harms en souriant.

C'était pourtant simple comme bonjour. Hince pouvait facilement passer pour un homme blanc voyageant avec son esclave. Une fois à Richmond, Hince vendait Can — de préférence à un brave homme qui soignerait bien le cheval. J'avais rédigé les papiers prouvant que Big Can avait été vendu à Hince Hinley, un cousin de Maît' Henley. J'avais aussi imité sa signature.

Avec l'argent de la vente, Hince avait acheté deux passages sur le premier bateau à vapeur faisant route pour le Nord, exactement comme je lui avais dit.

– Quelques-uns des nôtres se trouvaient sur le bateau. Ils ont raconté que Hince avait gagné une grosse somme d'argent en jouant aux cartes avec une bande de riches jeunes gens qui le trouvaient tout à fait charmant.

Je le vois d'ici, taquin et souriant. Ils n'ont jamais soupçonné une seconde qu'il s'agissait d'un esclave en fuite.

– Et maintenant, Clotee, a déclaré Mr. Harms, il est temps pour toi de sortir d'ici.

– Avez-vous trouvé quelqu'un pour être le conducteur ici, à Belmont ?

– Non. Nous n'avons personne.

– Alors je ne viens pas avec vous. Pas maint'nant. Je veux rester ici et être le conducteur de cette station.

La nuit suivante

J'ai presque pas dormi la nuit dernière — et seulement par à-coups. Je me demandais : « Est-ce que j'ai fait le bon choix ? » Mais j'ai continué à voir la figure de Man devant moi. Elle souriait, et je me sentais un peu mieux.

Mr. Harms m'avait fait promettre de le retrouver ce soir au bord de la rivière. J'ai obéi.

– C'est trop dangereux pour toi d'être conducteur, il a dit. Tu n'es qu'une enfant.

– Sauf votre respect, Missié, je suis jeune mais je ne suis pas une enfant, j'ai répondu. Je suis une abolitionniste. Et on a besoin de moi. D'ailleurs, c'est *mon* idée qui vous a arraché aux griffes du shérif. Et c'est grâce à *mon* plan aussi que Spicy et Hince ont pu s'enfuir. Je suis capable de faire ça.

– Oh, je ne doute pas que tu sois à la hauteur de la tâche, a dit Mr. Harms. Tu es une remarquable jeune femme, et je suis fier de toi. Mais tu ne veux pas être libre ?

J'avais si souvent débattu — dur, très dur — cette question avec moi-même, je pouvais exprimer exactement ce que je ressentais.

– Oui, Missié, je veux être libre. Mais je veux surtout que l'esclavage, ça n'existe plus jamais, jamais pour personne. J'ai lu dans un de vos journaux qu'aucun être humain sur la terre ne devrait être esclave, que c'était injuste. Voilà pourquoi j'ai décidé de rester ici : je veux mettre fin à l'esclavage.

Mr. Harms a eu l'air à la fois surpris et content.

– Tu comprends beaucoup mieux que la plupart des gens ce qu'est la liberté.

Ça a été mon tour d'être surprise.

– La liberté, a continué Mr. Harms, consiste à faire

des choix et à en assumer les conséquences. Tu as choisi de rester ici. Tu peux être conducteur aussi longtemps que tu le désires. Mais souviens-toi, Clotee, il a ajouté, aux premiers signes de trouble, il faut que tu partes. Promis ?

J'ai promis.

En mars

On est tous occupés à retourner la terre pour la prochaine moisson. Je déteste ce travail qui casse le dos en deux. Mais j'ai plus peur comme avant. Je laisse plus la peur m'empêcher de faire ce que je dois faire. J'ai commencé à apprendre l'alphabet à quelques esclaves de confiance. C'est effrayant, parce que je connais parfaitement que s'ils se trouvent un jour mis à rude épreuve, ils risquent fort de me dénoncer. Mais je peux pas me tracasser à ce sujet. Si je leur apprends pas à écrire et à lire, qui le fera ?

M'ame Lilly, elle m'a envoyée dans les champs. Mais je suis heureuse, parce que je fais de plus en plus de choix. Je comprends maintenant pourquoi Spicy elle voulait être ici, loin de M'ame Lilly et de Maît' Henley qui sont toujours aussi méchants. Et Waith, il vaut pas mieux.

Depuis que Spicy et Hince se sont enfuis, ce Waith nous traite encore plus durement. On essaye de pas lui donner des raisons de nous fouetter, mais toujours, il en trouve. Alors quand c'est le moment pour moi de faire la classe ou quand une évasion va avoir lieu, on sait comment manipuler le commandeur. Vous comprenez, il a pris goût à l'infusion de gingembre de tante Tee, alors dans son infusion on met juste une petite herbe qui fait dormir. Jamais il voit la différence.

Dimanche

Sans que personne s'en est aperçu, le printemps, il a explosé partout, partout. La fête de Pâques, elle est venue, elle est partie. On va célébrer l'anniversaire de tante Tee.

Les vergers, sont en fleurs déjà depuis des semaines. Pas de gelées tardives, cette année, alors on aura une bonne récolte de pommes. Le jardin d'onc' Heb, il est tout en fleurs, lui aussi. Maît' Henley a peut-être fini par comprendre quelle somme de travail il faut fournir pour que le domaine de Belmont reste beau.

Avril 1860

J'ai rien écrit depuis longtemps passé... peut-être un mois. Depuis que je suis plus à la Grande Maison, c'est difficile pour moi de trouver du papier pour ajouter à mon journal. Mais je peux toujours écrire en grattant la terre, et c'est ce que je fais. Pour m'entraîner et pour apprendre à mes élèves.

William va aller à l'école dans le Missouri, et M'ame Lilly, elle a plus envie de vivre, parce que c'est pas la grande école Overton. J'ai l'impression que le garçon, il aimait vraiment Mr. Harms et qu'il a été attristé par son départ beaucoup plus que tout le monde se l'imagine — sauf moi. Qui sait ? Peut-être que William va finir par devenir un abolitionniste. Alors là, ce serait vraiment le comble !

Maît' Henley en a eu assez à la fin de la mauvaise cuisine d'Eva Mae. Il l'a renvoyée aux champs et il a ramené de la Nouvelle-Orléans une nouvelle cuisinière. Utilise quantité de poivre, cette cuisinière. Personne réussira jamais aussi bien que tante Tee le poulet frit et les pommes mousseline. Et le maître, il le sait très bien.

M'ame Lilly a fait de Missy sa favorite. Missy, elle nous parle plus et elle descend plus jamais aux Quartiers, même pour rendre une petite visite à sa Man. Elle porte toutes sortes de jolies robes, mais elle peut pas être très heureuse comme ça, au service de M'ame Lilly, jour après jour.

Tante Tee, elle est tout le temps occupée — à cueillir des légumes sauvages, confectionner des remèdes, mettre au monde des *babies*, et m'aider à dresser des plans pour les esclaves en fuite. Un groupe doit s'arrêter à Belmont d'ici quelques jours.

Pleine lune, avril 1860

Tante Tee, elle a chanté la chanson du signal :

Descends tout bas, doux chariot
Qui dois me ram'ner au bercail...

Cette nuit, un groupe de trois fugitifs a trouvé le chemin de la station de Belmont. Parmi eux, y avait une fille, peu près dix ans. Elle avait l'air terrorisée. Je lui ai fourré 'Tit Bout dans la main. Elle te tiendra compagnie, j'ai expliqué. La fille, elle a esquissé un pauvre sourire. J'avais leurs sauf-conduits — rédigés comme il faut. Tante Tee avait préparé leurs petits pains de maïs et leur ration d'eau.

Bientôt, un homme tout habillé de noir s'est approché de la berge sur sa barque sans faire un seul petit bruit d'éclaboussure avec ses rames.

– Venez vite !

C'était mon associé, mais on avait jamais parlé ensemble et on s'était jamais vus. Je connais pas son visage. C'est plus sûr comme ça.

– À la prochaine fois, il a dit avec un accent étranger.

Vite mais tranquille, les fugitifs ont sauté dans la barque pour s'éloigner aussitôt. Je crois que j'ai pas respiré avant qu'ils aient été hors de vue.

Assise ici, dans la case, aux côtés de tante Tee, je me sens bien. Je regrette pas d'être restée, je pense que j'ai fait le bon choix. Un jour, je verrai la Philadelphie, la New York et la Boston. L'année prochaine — ou bien la suivante — je m'enfuirai peut-être à mon tour pour la liberté. D'ici là, je manque pas d'ouvrage.

Le lendemain

J'ai juste assez de papier et d'encre de baies pour écrire encore une fois.

La cloche du matin sonnera bientôt, et il va falloir que je parte aux champs. J'ai le temps d'écrire quelques mots. J'ai décidé de commencer par L.I.B.E.R.T.É. Liberté. Je laisse mes souvenirs dessiner des images à leur guise dans ma tête. Mr. Harms est sain et sauf – il peut continuer son travail. Hince et Spicy sont libres

— libres *ensemble*. Liberté. Je me suis rappelé la petite fille que j'avais aidée la nuit d'avant et j'ai souri. Ma poupée, 'Tit Bout, sera libre avant moi. Liberté. Je me suis rappelé ce que Mr. Harms avait dit à propos des choix. J'ai regardé plus attentivement les lettres et pour la première fois, j'ai vu une image — très nette.

C'était une image de moi, Clotee.

POUR ALLER PLUS LOIN

QUE SONT-ILS DEVENUS ?

Au cours de l'été 1939, Clotee Henley, alors âgée de quatre-vingt-douze ans, fut interviewée par Lucille Avery, étudiante à Nashville, dans le Tennessee. Le gouvernement l'avait engagée ainsi que d'autres écrivains pour recueillir les récits d'anciens esclaves. La première histoire de Clotee parut durant l'été 1940 dans la *Chronique de Virginie* (*Virginia Chronicle*).

Lucille Avery se rendit chez Clotee, en Virginie, pour dépouiller les journaux intimes, les photos et les documents que la vieille dame mit à sa disposition. Elle apprit ainsi que Clotee avait servi de conducteur sur le chemin de fer souterrain, aidant cent cinquante esclaves à trouver le chemin de la liberté, puis d'espionne pour l'armée de l'Union de 1862 à 1865. Elle reçut les félicitations du général Ulysses S. Grant pour sa bravoure.

Pendant la guerre, la vie à Belmont changea complètement et pour toujours. Maître Henley perdit un bras lors de la bataille de Fredericksburg et Madame Lilly devint folle quand les « Yankees », les soldats de l'Union, installèrent leur campement dans le domaine de Belmont et transformèrent la Grande Maison en hôpital militaire. Tante Tee mit sa science et son expérience de guérisseuse au service des soldats de l'Union, sauvant des dizaines de vies. Elle mourut du choléra le jour de Noël 1864, plusieurs mois avant la fin de la guerre. Elle fut enterrée aux côtés d'oncle Heb, dans le cimetière de la plantation. Quant à Missy, après la mort de sa mère, elle s'enfuit et épousa un soldat noir.

Après la guerre, Mr. Harms fit venir Clotee dans le Nord où elle fut accueillie en héroïne. Après plusieurs échecs commerciaux, Mr. Harms alla s'installer en Écosse où l'on n'entendit plus parler de lui. Si Clotee n'eut jamais le bonheur de rencontrer Sojourner Truth, en revanche, elle fit la connaissance de Frederick Douglass avec lequel elle correspondit jusqu'à la mort de ce dernier en 1895.

En 1875, Clotee retourna en Virginie où elle fréquenta l'Institut pour les femmes de couleur de Virginie avant de consacrer sa vie à l'éducation des anciens esclaves, au droit de vote des femmes, à l'égalité des droits et à la justice pour tous sans considération de race, de religion ou de nationalité.

Au milieu des journaux intimes de Clotee se trouvaient deux précieux documents qui pourraient servir de conclusion à l'histoire de notre héroïne. Tout d'abord une liasse de lettres, accompagnée d'une photo, du docteur William Monroe Henley, devenu professeur de philosophie dans l'Ohio après avoir été déshérité par son père pour avoir pris position contre les préjugés racistes. « Par le biais de son enseignement,

Mr. Harms a davantage contribué à la suppression de l'esclavage que toutes les lois réunies », écrivait-il à Clotee en 1891.

Il y avait également une autre photo représentant un couple d'un certain âge, entouré d'une grande famille. Figure au dos:

À notre bien-aimée amie-sœur, Clotee,
De la part de Hince et Rose Henley et de leur famille
50e anniversaire de mariage
Louisville, Kentucky, 1910.

Spicy tient une Bible à la main, et on peut voir, soigneusement replié sur un genou de Hince, le fameux patchwork auquel Clotee et Spicy travaillaient ensemble le soir. Épinglée à la photo se trouve une vieille coupure de journal célébrant Hince comme le meilleur entraîneur de chevaux du Kentucky.

Clotee ne se maria jamais et n'eut pas d'enfants, mais quand elle mourut le 6 mai 1941, ses anciens étudiants assistèrent par centaines à ses funérailles. En tant que professeur, elle les avait incités à se dépasser; en tant que militante, elle les avait inspirés; en tant qu'amie, elle les avait encouragés. L'épitaphe gravée sur sa tombe constitue son ultime message, à jamais vivant:

La liberté est plus qu'un mot

LA VIE EN AMÉRIQUE EN 1859

C'est au titre de travailleurs engagés à long terme et non d'esclaves que les premiers Africains furent débarqués en 1619 dans la colonie britannique de Virginie. Deux siècles plus tard, l'esclavage était une institution établie aux États-Unis.

La résistance à l'esclavage, qui vint d'abord des captifs, prenait de nombreuses formes : ralentissement du travail, sabotage, incendie, assassinat, suicide ou encore révolte armée. Quant aux évasions, elles étaient si nombreuses qu'un décret vint sanctionner ceux qui aidaient des esclaves en fuite.

Pour se protéger des insurrections et décourager les fugitifs, les législateurs de Virginie établirent des lois, rassemblées sous le nom de « Code de l'esclavage » ou « Code noir ». La constitution des États-Unis comportait une clause spéciale pour les esclaves fugitifs : s'ils avaient réussi à gagner un État libre, ils pouvaient généralement y vivre en hommes libres. Mais une loi votée en 1850 permit aux propriétaires d'esclaves de venir reprendre leur « bien ».

Dès 1688, une pétition fut signée contre l'esclavage. C'était le premier document écrit s'insurgeant contre cette pratique et marquant le début d'un mouvement abolitionniste déclaré. À compter de cette date, Noirs et Blancs, hommes et femmes, sudistes et nordistes s'organisèrent pour abolir l'esclavage. Si New York, Philadelphie et Boston étaient les grands centres du mouvement, quantité de petits groupes se développèrent à travers tout le pays.

William Lloyd Garrison et Frederick Douglass dénoncèrent l'esclavage dans leurs multiples conférences. Des femmes comme Harriet Beecher Stowe et Sojourner Truth exercèrent, elles aussi, une grande influence, l'une par le biais de son livre, *La Case de l'oncle Tom*, et de ses articles, l'autre par celui de ses sermons.

Pour aider les fugitifs à effectuer le long et périlleux voyage de la liberté, les abolitionnistes établirent un réseau de personnes qui jouèrent le rôle de « conducteurs » sur un « chemin de fer souterrain », en fait, un chemin secret pour gagner les États libres et la colonie britannique du Canada. Des personnes de tous horizons – ouvriers agricoles, professeurs, maîtresses de maison – participaient à cette dangereuse entreprise, sachant pourtant qu'ils risquaient de lourdes amendes, voire l'emprisonnement.

En 1857, la Cour suprême des États-Unis décréta qu'un esclave ne pouvait en aucun cas solliciter l'émancipation du fait qu'il était un « objet de possession ». La Cour ajouta que « aucun Noir n'avait de droits susceptibles d'être respectés par un Blanc. » Désormais, aucun Noir ne pourrait voter, avoir un emploi de fonctionnaire, breveter une invention, jouer le rôle de juré ni témoigner contre un Blanc au tribunal. Si la plupart des abolitionnistes avaient choisi de lutter par des moyens pacifiques, certains commençaient à penser que seule la lutte armée réussirait à mettre fin à l'esclavage.

En 1859, les sudistes étaient encore convaincus qu'ils pourraient mener indéfiniment le même mode de vie. Mais le changement était inévitable. Depuis 1854, le parti des Républicains avait gagné de nombreux sièges au Congrès. Leur candidat à la présidence, Abraham Lincoln, avait de sérieuses chances de gagner les élections de 1860. Modéré, il s'opposait à l'extension de l'esclavage dans les nouveaux territoires des États-Unis, à l'ouest du Mississippi et se montrait favorable à l'abolition progressive de l'esclavage. Certains groupes abolitionnistes trouvaient cette position trop prudente ; d'autres, en minorité, pensaient que la voie progressive était juste. Mais, pour les quatre millions d'esclaves disséminés sur les plantations du Sud, rien ne changeait.

En 1859, la plupart des propriétaires d'esclaves ne possédaient pas plus de vingt-cinq ou trente travailleurs agricoles (appelés aussi « nègres des champs » ou « nègres de houe »). Leur existence était misérable. Travaillant dur de l'aube au coucher du soleil, peu et mal nourris, mal soignés, ils vieillissaient prématurément et mouraient jeunes. En comparaison, les quatre à cinq esclaves employés à la Grande Maison semblaient privilégiés, mais ils n'avaient pas un instant à eux.

Si les maîtres s'efforçaient par tous les moyens de maintenir les esclaves dans l'ignorance, beaucoup d'entre eux saisissaient la moindre occasion pour apprendre à lire et à écrire, avant d'enseigner à leurs frères en esclavage.

Les esclaves qui savaient lire et écrire couraient un grave danger. S'ils étaient découverts, on les envoyait souvent dans le Sud profond d'où il était quasiment impossible de s'enfuir. Les maîtres recouraient à toutes les pratiques : corruption, menaces, intimidation..., pour forcer les esclaves à dénoncer quiconque paraissait suspect.

La population ignorait encore en 1859 que la nation était au seuil d'une terrible guerre qui ferait plus de 600 000 morts. Le drame politique atteint son point culminant lorsque Edmund Ruffin Senior, un Virginien, tira le premier coup de feu, en Caroline, quelques mois après l'élection d'Abraham Lincoln à la présidence des États-Unis. La guerre se termina cinq ans plus tard en 1865. Dans chaque camp, les pertes avaient été considérables. Mais l'existence des quatre millions d'esclaves vivant aux États-Unis et des 250 000 esclaves fugitifs qui avaient trouvé asile au Canada ne serait plus jamais la même. Ils étaient enfin libres.

DES LIVRES ET DES FILMS

À LIRE

Esclaves et négriers, par Jean Meyer,
Découvertes, Gallimard

Les Traites négrières, par Olivier Pétré-Grenouilleau,
Bibliothèque des histoires, Gallimard

Sur les traces des esclaves, par Marie-Thérèse Davidson
et Thierry Aprile, Gallimard Jeunesse

À VOIR

Amistad, de Steven Spielberg,
avec Morgan Freeman et Anthony Hopkins

L'AUTEUR

Selon **Patricia C. McKissack** : « C'est l'histoire de mon arrière-arrière-arrière grand-mère, Lizzie Passmore, qui m'a inspirée pour écrire *Je suis une esclave*. Elle avait été esclave à Barbour County, Alabama, et, bien que ce fût formellement interdit par la loi, elle avait appris je ne sais comment à lire et à écrire. »

Ses différentes expériences de l'enseignement l'ont aidée à comprendre comment Clotee a pu apprendre à lire et à écrire. « Trouver la voix de Clotee fut, et de loin, le problème le plus épineux que j'eus à surmonter. Mais une fois que j'entendis, dans ma tête, comment elle parlait, alors je n'eus plus la moindre difficulté à raconter l'histoire. C'était Clotee elle-même qui me la racontait; j'écrivais quasiment sous sa dictée. »

Auteur d'une soixantaine d'ouvrages pour enfants, dont *Nzingha, princesse africaine* (Mon Histoire), Patricia McKissack a écrit, en collaboration avec son mari, de nombreux essais, dont un sur Sojourner Truth. En 2006, pour *Je suis une esclave*, elle a reçu le prix Fetkann! de la jeunesse.

DANS LA MÊME COLLECTION

Mon Histoire

CLÉOPÂTRE, FILLE DU NIL
JOURNAL D'UNE PRINCESSE ÉGYPTIENNE

AU TEMPS DES MARTYRS CHRÉTIENS
JOURNAL D'ALBA, 175-178 APRÈS J.-C.

PENDANT LA GUERRE DE CENT ANS
JOURNAL DE JEANNE LETOURNEUR, 1418

MARIE-STUART
REINE D'ÉCOSSE À LA COUR DE FRANCE, 1553-1554

NZINGHA
PRINCESSE AFRICAINE, 1595-1596

EN ROUTE VERS LE NOUVEAU MONDE
JOURNAL D'ESTHER WHIPPLE, 1620-1621

L'ANNÉE DE LA GRANDE PESTE
JOURNAL D'ALICE PAYNTON, 1665-1666

CATHERINE
PRINCESSE DE RUSSIE, 1743-1745

DANS LA MÊME COLLECTION

MARIE-ANTOINETTE

PRINCESSE AUTRICHIENNE À VERSAILLES, 1769-1771

SOUS LA RÉVOLUTION FRANÇAISE

JOURNAL DE LOUISE MÉDRÉAC, 1789-1792

LE SOURIRE DE JOSÉPHINE

JOURNAL DE LÉONETTA, 1804

PENDANT LA FAMINE, EN IRLANDE

JOURNAL DE PHYLLIS MCCORMACK, 1845-1847

LE TEMPS DES CERISES

JOURNAL DE MATHILDE, 1870-1871

S.O.S. TITANIC

JOURNAL DE JULIA FACCHINI, 1912

À L'AUBE DE LA RÉVOLUTION RUSSE

JOURNAL DE LIOUBA, 1916-1617

J'AI FUI L'ALLEMAGNE NAZIE

JOURNAL D'ILSE, 1938-1939

DANS PARIS OCCUPÉ

JOURNAL D'HÉLÈNE PITROU, 1940-1945

CRÉDITS PHOTOGRAPHIQUES

Couverture : [bas] Une plantation de coton sur le Mississipi. Lithographie de Currier and Ives © Photos12.com - Oasis

Mise en pages : Karine Benoit
Loi n° 49-956 du 16 juillet 1949
sur les publications destinées à la jeunesse

N° d'édition :156773
Dépôt légal : novembre 2007
Premier dépôt légal : septembre 2005
ISBN : 978-2-07-057037-9
Imprimé en Italie par LegoPrint